L'ASSASSIN DU PÔLE NORD

LES ENQUÊTES DE L'INSPECTEUR HIGGINS

Christian Jacq

L'ASSASSIN DU PÔLE NORD

Les enquêtes de l'inspecteur Higgins

ÉDITIONS

Infos-livres-nouveautés
www.j-editions.com

Illustration de couverture : Flocon de neige fractale,
humansvillage.net©D.R.

ISBN : 9791090278509
e-ISBN : 9791090278516

Il y a des nulle part qui sont au cœur des choses.

L'alchimiste Savary

L'Égypte menant à tout, j'ai eu la chance, lors d'un séjour de recherche au British Museum, de rencontrer un personnage extraordinaire. Aimant se faire appeler Higgins, en dépit de ses titres de noblesse, cet inspecteur de Scotland Yard avait été chargé d'un grand nombre d'enquêtes spéciales, particulièrement complexes ou « sensibles ».

Entre nous, le courant est immédiatement passé. D'une vaste culture, Higgins m'a accordé un privilège rare en m'invitant dans sa demeure familiale, une superbe propriété au cœur de la campagne anglaise. Et il m'a montré un trésor : ses carnets relatant les affaires qu'il avait résolues.

J'ai vécu des heures passionnantes en l'écoutant et obtenu un second privilège : écrire le déroulement de ces enquêtes criminelles, fertiles en mystères et en rebondissements.

Voici l'une d'entre elles.

1

Et si l'avenir de l'humanité se jouait au pôle Nord ?

Après de longues et intenses années d'études consacrées à cette région du globe à la fois hostile et envoûtante, Kathleen Silway en était persuadée. Née à Londres d'un père biologiste et d'une mère géographe, elle avait été attirée, dès son enfance, par ces immensités glacées où perduraient de fascinantes formes de vie.

Adolescente surdouée, elle avait fréquenté les universités de Cambridge et Harvard, puis effectué de nombreux séjours dans les pays nordiques pour y parfaire, sur le terrain, sa formation de glaciologue et de climatologue, venant compléter son impressionnant cursus scientifique. Et, bien entendu, elle avait participé à plusieurs expéditions polaires et séjourné au cœur de solitudes qui paraissaient loin de l'humanité et, pourtant, suscitaient aujourd'hui tant de convoitises !

À l'approche de la quarantaine, Kathleen Silway était une fort belle femme brune, élégante, au regard profond et à la voix posée. Les scientifiques du monde entier la considéraient comme la grande prêtresse du pôle Nord, exposé à de multiples périls ; et diverses instances internationales lui avaient confié une mission capitale qu'elle devait remplir avec la plus extrême discrétion : recevoir, à Londres, des spécialistes de cette région devenue sensible, recueillir les desiderata émis par leurs pays respectifs, prêts à se livrer une compétition farouche, et rédiger un rapport appelé à faire force de loi.

Bien qu'éloigné du pôle Nord, le gouvernement de Sa Majesté ne se désintéressait pas de son avenir et avait offert à sa brillante chercheuse les facilités matérielles pour organiser cette rencontre décisive dont les médias n'entendraient pas parler. Au nord de la capitale, les locaux d'un laboratoire désaffecté avaient été aménagés de manière à garantir la parfaite confidentialité du Norvégien, du Russe, du Canadien, de l'Américain, de la Danoise, de la Chinoise et de la Française habilités à présenter d'épais dossiers défendant les intérêts de leurs États.

Les auditions avaient été longues et fructueuses. Disposant de ses propres expertises, Kathleen Silway s'était évertuée à écarter mensonges et outrances, n'hésitant pas à critiquer vertement ses interlocuteurs lorsqu'ils dépassaient sciemment les bornes. Face à une spécialiste de ce niveau, dotée d'un caractère intraitable, quantité de prétentions injustifiables avaient volé en éclats.

Sans nul doute, la Britannique ne s'était pas fait que des amis ! Indifférente à l'opinion d'autrui et seulement soucieuse de sa tâche ô combien délicate, elle avait rédigé un rapport que nulle autorité compétente ne remettrait en cause.

Un rapport qui décidait des lendemains du pôle Nord et, en conséquence, de l'espèce humaine, même si sa grande majorité était inconsciente des enjeux. Comme d'ordinaire, le futur se décidait en secret et en petit comité, loin des caméras et des micros.

Kathleen Silway avait relu dix fois ses conclusions, pesé chaque mot, vérifié le moindre détail. Épuisée, elle s'assit dans un fauteuil de cuir et s'abandonna quelques minutes. Consciente des lourdes responsabilités qu'elle prenait et de leurs suites tant politiques qu'économiques, elle ne céderait à aucune pression et, au moment de la parution de son rapport, prononcerait à la tribune de l'ONU un discours très attendu.

« Surtout très inattendu », pensa-t-elle en souriant, car la scientifique avait abouti à un résultat surprenant. Il avait fallu ces multiples entretiens et une analyse en profondeur de la situation, à partir de données ultraconfidentielles, pour le formuler en toute certitude.

En cette dernière soirée avant de quitter le bunker ultrasécurisé où elle n'avait cessé de travailler, la Britannique s'offrirait d'abord sa gourmandise préférée puis au moins dix heures de sommeil. Elle quitta son vaste bureau après avoir éteint son ordinateur et traversa un salon donnant sur une cuisine bénéficiant des meilleurs équipements.

L'eau à la bouche, Kathleen Silway prépara des toasts qu'elle napperait d'un coulis de vraies tomates inondées d'une huile d'olive exceptionnelle, provenant d'un petit domaine de Sardaigne. Beaucoup ignoraient qu'il y avait autant de différence entre une huile bas de gamme et un produit authentique qu'entre une piquette et un grand cru ; la scientifique n'appréciait que son petit chef-d'œuvre artisanal, fabriqué avec des olives particulièrement goûteuses, dépourvues de tout produit chimique. Première pression à froid, certes, mais aussi qualité inégalable de l'olive, moulin datant du XVIIIe siècle et traitement à l'ancienne.

Elle dégusterait chaque bouchée, accompagnée d'un médoc convenable, en se remémorant les étapes du long chemin qui l'avait conduite à devenir « la dame du pôle Nord » comme l'avait qualifiée le *Times*. Son discours marquerait l'apogée de sa carrière et lui permettrait d'appliquer ses solutions, même en se heurtant à de fortes oppositions.

Alors que Kathleen Silway s'apprêtait à commencer son festin, un bourdonnement l'interrompit.

Quelqu'un sonnait à la porte de son appartement et lui demandait l'autorisation de la voir.

La scientifique alla jusqu'à sa porte, équipée d'un lecteur de codes révélant l'identité du solliciteur. Seule la Britannique connaissait l'ensemble des codes attribués aux participants à cette réunion ; eux ne possédaient que le leur propre, ignorant celui de leurs collègues.

— Tiens, constata Kathleen Silway, étonnant !

Elle débloqua le verrou de la porte trois points et l'ouvrit.

— Vous ?

— J'ai une information capitale à vous communiquer.

— Mon rapport est terminé.

— Sans vouloir vous influencer, je crois qu'il sera nécessaire de le modifier.

— À ce point ?

— Voici la preuve.

Le tube de métal intrigua la scientifique, mais une odeur de brûlé l'alerta.

— Un instant, je dois m'occuper de mes toasts.

Kathleen Silway s'élança vers la cuisine.

Au moment où elle débranchait le grille-pain, elle crut percevoir un mouvement dans son dos.

— Que... que faites-vous ?

Stupéfaite, Kathleen Silway tenta vainement de résister à l'agression de l'assassin ; frappée à mort, elle renversa les bouteilles d'huile et de vin en s'effondrant.

L'assassin s'empressa d'accomplir son indispensable besogne, mais éprouva une intense déception : l'ordinateur de sa victime était vide. Ainsi, la Britannique n'avait pas encore rédigé son fameux rapport ! Comme elle ne parlerait plus, le danger était écarté.

Ne jetant qu'un œil dédaigneux au cadavre pour s'assurer que la scientifique était bien morte, l'assassin sortit de son appartement et regagna le sien où il avait un détail urgent à régler.

À peine débutait-il qu'une sonnerie stridente lui déchira les oreilles : l'alarme incendie !

La consigne était stricte : sortir immédiatement dans le couloir et suivre les instructions du personnel de sécurité. De manière à éviter tout soupçon, l'assassin, ravi d'avoir éliminé une redoutable gêneuse, se plia au règlement. Ses employeurs seraient contents de lui.

2

À quelques jours de Noël, l'hiver avait brutalement frappé : température glaciale et bourrasques de neige. Aussi l'ex-inspecteur-chef s'était-il vu contraint d'intervenir en urgence pour secourir les oiseaux et les aider à traverser au mieux la difficile période qui s'annonçait.

De taille moyenne, plutôt trapu, les cheveux noirs, la lèvre supérieure ornée d'une moustache poivre et sel impeccablement lissée, l'œil malicieux et inquisiteur, Higgins avait pris une retraite très anticipée en raison d'un conflit l'opposant aux autorités supérieures de Scotland Yard. Bien qu'il fût promis aux plus hautes fonctions, l'ex-inspecteur-chef n'avait pas transigé avec sa conscience et ses principes.

Quel bonheur de vivre à The Slaughterers[1], paisible village du Gloucestershire, où était sise sa demeure ancestrale ! Un minuscule pont de bois enjambait la rivière Eye qui coulait devant sa propriété, soigneusement entretenue. Porche d'accès soutenu par deux colonnes, murs de pierres blanches, deux étages disposés selon le nombre d'or, fenêtres XVIIIᵉ à petits carreaux, toit d'ardoises aux reflets grisés, hautes cheminées… Higgins ne se lassait pas d'admirer cette merveille d'équilibre et de sérénité, de bichonner sa roseraie,

---

1. Les Assassins (littéralement : « les bouchers »).

de tondre sa pelouse, de relire les bons auteurs au coin du feu et de veiller au confort du siamois Trafalgar, à la fois irascible et gourmet. Amateur de longues siestes, le chat ne tolérait que des produits de première qualité.

Supportant mal la chaleur, l'ex-inspecteur-chef appréciait les ciels gris, les écharpes de brume et les ondées entrecoupées d'averses ; le tapis de neige ne manquait pas de charme, mais l'humain qu'il était devait manifester sa solidarité envers les espèces menacées.

Le domaine de Higgins bénéficiait de la rassurante présence de chênes centenaires ; à leurs branches, hors de portée des prédateurs, étaient accrochées des mangeoires contenant diverses sortes de graines, de manière à satisfaire mésanges, bouvreuils, rouges-queues et autres merveilles ; chaque espèce avait son mets préféré, et l'ex-inspecteur-chef n'avait pas manqué de consulter des ornithologues afin de s'adapter aux exigences de la gent ailée.

Bien entendu, des dizaines de nichoirs étaient déjà en place lesquels, au printemps, avaient servi de maternités ; trou d'envol de vingt-huit millimètres pour la mésange bleue, trente-deux pour la mésange charbonnière... Les règles étaient précises. À cause de l'offensive hivernale, il fallait offrir des logements de secours aux plus démunis, y compris aux chouettes. Menuisier amateur, Higgins avait fabriqué dans son atelier de vastes abris capables de résister aux frimas.

Depuis son enfance, l'ex-inspecteur-chef savait que quiconque méprisait et maltraitait les animaux ne respectait pas davantage les humains. Aussi prit-il le risque de dresser une grande échelle, de grimper un à un les barreaux et d'accrocher à l'enfourchure des branches une série de nichoirs.

Le ciel lui fut favorable : à peine terminait-il son labeur que la neige tomba à gros flocons. Aveuglé, Higgins descendit, rangea l'échelle et regagna sa demeure.

Les mains sur les hanches, Mary l'apostropha.

– Vous voilà dans un bel état ! Tout ça pour une bande d'oiseaux… Dépêchez-vous de changer de vêtements, sinon vous allez encore m'attraper un refroidissement. Et je vous rappelle que le déjeuner sera prêt dans une demi-heure. Mon ragoût de mouton n'attendra pas.

Âgée de soixante-dix ans depuis toujours, Mary, la gouvernante du domaine, avait traversé deux guerres mondiales et une centaine de crises économiques en gardant bon pied bon œil. Contrairement à Higgins, elle croyait au progrès et avait installé au cœur de son domaine réservé télévision, téléphone et ordinateur. Considérant Scotland Yard comme un repaire de bandits et d'incapables, elle était une fidèle lectrice du *Sun*, journal rempli de potins, d'atrocités et de scandales.

Jugeant superflu d'émettre le moindre commentaire, l'ex-inspecteur-chef se soumit aux injonctions de la gouvernante et goûta les délices d'une douche brûlante, sans trop traîner afin d'avoir le temps de se parfumer avec de l'eau de toilette Tradition Chèvrefeuille de chez Creed, fort prisée à la cour d'Élisabeth Ire, au XVIe siècle. Il se vêtit d'une chemise blanche sur mesure, d'un blazer bleu marine portant un écusson à ses armes et d'un pantalon de flanelle grise. Mary aimait qu'il s'habillât de manière décente et honorât ses talents de cuisinière.

Trafalgar occupait la chaise réservée à Higgins et, de ses grands yeux bleus, le pria de ne pas l'en déloger. À l'évidence, le repas serait à son goût et l'élégant félin exigeait d'être le premier servi.

– Bravo pour votre éducation, désapprouva Mary en apportant le sherry et des tartelettes chaudes aux poireaux et aux cinq fromages en guise d'apéritif.

— Succulent, reconnut Higgins, qui partagea avec le siamois, ravi.

— Je n'ai jamais vu une bête aussi mal élevée, jugea la gouvernante ; de nos jours, on ne s'étonne plus de rien. Avez-vous songé au bois ? Mon ancienne cuisinière ne fonctionnera pas toute seule, et j'ai besoin de celle-là pour la pâtisserie ; la moderne est parfois limitée.

« Belle lucidité », pensa Higgins qui se garda d'enfoncer le clou.

— J'en ai coupé hier, et nous aurons une livraison de bûchettes cet après-midi.

— Combien de nouveaux nichoirs avez-vous fabriqués ?

— Une dizaine.

— Tous installés ?

— Je les ai solidement fixés.

— Bon, ça devrait suffire ; encore heureux que vous ne soyez pas tombé de l'échelle. Vu vos vieux genoux, il vaudrait mieux éviter ce genre de risque. Enfin, puisqu'il faut voler au secours des oiseaux…

Ne s'estimant pas servi assez vite, Trafalgar, fou de fromage, agrippa une tartelette de son habile patte droite et la dégusta sous la protection de l'ex-inspecteur-chef, craignant que Mary ne s'en aperçoive.

Et Mary s'en aperçut.

Un klaxon quasi agonisant fit dresser l'oreille du trio ; ce bruit incongru brisait le calme de la propriété.

— Avez-vous entendu ? questionna la gouvernante.

— Je crois que oui.

Ce klaxon-là avait une tonalité si particulière qu'on ne pouvait le confondre avec aucun autre.

— S'il n'a pas téléphoné avant de venir, jugea Mary, ça doit être grave. Mettez un manteau et allez chercher votre collègue ; moi, je dispose un second couvert.

3

La vieille Bentley du superintendant de première classe Scott Marlow, ami de longue date de Higgins, avait vaillamment effectué le trajet entre Londres et The Slaughterers, en dépit du vent, du froid et des bourrasques de neige. Elle préférait ces rudes conditions climatiques à la pollution de la capitale et appréciait les petites routes de campagne où elle respirait à pleins poumons ; à l'approche du domaine de Higgins, elle se sentait rajeunie. Un peu enroué, son klaxon manifesta une belle vaillance.

L'ex-inspecteur-chef ouvrit le portail et fit signe à Marlow d'avancer ; la Bentley se gara sous un préau aux piliers de chêne massif datant de la fin du Moyen Âge.

Le superintendant ouvrit la portière et s'extirpa de son siège avec difficulté ; massif, empâté, Marlow était vêtu d'un imperméable usagé recouvrant un costume de qualité médiocre. Ce manque de goût vestimentaire ne l'empêchait pas d'être un policier exemplaire, persuadé que les buts fixés à Scotland Yard en 1822, par son fondateur Sir Robert Peel, demeuraient d'actualité : protéger la vie et la propriété, préserver la tranquillité publique et lutter contre le crime.

Rompu aux progrès de la police scientifique, contraint de suivre l'évolution de l'informatique, le superintendant était sans cesse sur la brèche et dormait à son bureau de manière à ne pas perdre de temps en cas d'urgence.

– Pardonnez-moi cette irruption, Higgins, mais nous sommes dans une épouvantable panade !

– Nous ?

– Le Royaume-Uni, Scotland Yard, la politique étrangère… Vous n'imaginez pas les dégâts collatéraux !

– Vous m'avez l'air frigorifié.

– Le chauffage de ma voiture ne fonctionne pas, et l'hiver attaque en force !

– Commençons par l'essentiel : vous réchauffer.

Le moral de Scott Marlow était en berne ; une affaire ultrasensible, la pression de sa hiérarchie, d'énormes ennuis en perspective et la fin de son rêve, appartenir à la garde rapprochée de la femme qu'il vénérait, Sa Majesté Élisabeth II.

Seul espoir : Higgins.

Mince espoir, en vérité, car l'ex-inspecteur-chef n'accepterait sans doute pas de quitter sa retraite campagnarde pour s'engager sur un chemin particulièrement périlleux.

Mary apparut.

– Vous vous raconterez vos horreurs plus tard ; mon déjeuner est servi.

Ce moment de convivialité redonna de l'énergie à Marlow ; doté d'un solide appétit, il venait de renoncer à un régime inefficace et se régala. Le ragoût de Mary, son gratin de pommes de terre et ses endives braisées étaient goûteux à souhait ; quant à son île flottante, elle touchait au sublime. Higgins avait choisi un grand vin italien, l'Amarone della Valpolicella Classico, originaire de Vénétie ; les raisins, dûment sélectionnés, séchaient à l'air dans des greniers et procuraient un cru à la fois puissant et velouté, à la robe rubis sombre. L'alliance des cépages, corvina, rondinella et molinara, était un franc succès, et Marlow, à la suite de son cinquième verre, se sentit revigoré.

Malheureusement, le repas, au cours duquel avaient été évoqués le temps hivernal, l'importance des nichoirs, la victoire de l'Angleterre sur la France en rugby et la splendeur des vins italiens, touchait à sa fin.

Mary servit un vrai café dans le petit salon du rez-de-chaussée, peuplé de souvenirs d'Orient : fauteuil en bois d'ébène aux accoudoirs taillés en forme de caractères chinois signifiant « la voie et la vertu », canapé « retour des Indes », buffet laqué de Cathay servant de support à un bouddha souriant et paravent japonais du XVIIIe siècle. Intime et chaleureux, l'endroit était propice à la méditation et aux confidences.

— Que penseriez-vous d'un doigt de cognac hors d'âge, superintendant ?

— Ce n'est pas de refus, avec ce froid…

Marlow aurait volontiers passé de longues heures à converser autour de cet alcool somptueux, mais les minutes lui étaient comptées, et il craignait de rentrer seul à Londres, piteux et désemparé.

— Un crime, je présume ? avança Higgins.

— Si le coupable n'est pas rapidement identifié, ce drame risque d'entraîner de sérieuses complications diplomatiques et politiques.

— Terrain glissant…

— Encore pire que ça !

Professionnel habitué aux meurtres atroces et aux coups durs, Scott Marlow semblait vraiment ébranlé.

— La victime ? interrogea Higgins.

— Une compatriote, la meilleure spécialiste du pôle Nord, paraît-il.

— Kathleen Silway ?

Scott Marlow s'étrangla.

– Comment… comment le savez-vous ?

– Le *Times* la qualifie de « dame du pôle Nord », d'autres de « grande prêtresse de l'Arctique » ; brillante carrière, publications remarquées. J'ai bien connu son père, à Cambridge ; toute petite, sa fille manifestait une surprenante passion pour ces régions hostiles et dévorait les livres qui lui étaient consacrés. Baignant dans un milieu scientifique, elle est parvenue à réaliser sa vocation.

– Vous… vous avez rencontré la victime ?

– À la Société Royale d'Histoire, en effet, à l'occasion d'un colloque concernant les expéditions polaires. Une fort belle femme, élégante et posée.

Scott Marlow tenta sa chance.

– Puisque vous l'estimiez, peut-être n'admettrez-vous pas que son assassinat demeure impuni ?

– Certes pas, superintendant, et j'ai pleine confiance en vos compétences pour résoudre cette affaire. Moi, je dois m'occuper de mon domaine ; contrairement à une idée reçue, l'hiver à la campagne n'est pas une période d'oisiveté.

– J'en suis incapable.

– Ne vous mésestimez pas, mon cher Marlow !

Son échec consommé, le superintendant brûla ses vaisseaux.

– J'en suis incapable, à cause de complications administratives.

Une ombre de contrariété voila le regard de Higgins ; il détestait entendre ce genre de constat, prélude à de sordides magouilles.

– Dites-m'en davantage.

4

Animé d'un petit espoir, Marlow, après avoir bu une nouvelle gorgée de cognac, tenta de s'exprimer clairement.

— Kathleen Silway a été assassinée hier soir, vers vingt et une heures trente, et j'ai été averti à minuit. Un coup de fil plutôt surprenant du *Commissionner Chief Constable*.

Autrement dit, le grand patron de Scotland Yard avec lequel Higgins n'était pas en excellents termes.

— Dossier ultrasensible, a-t-il déclaré d'emblée, révéla Marlow ; et Scotland Yard n'est pas le seul concerné.

Ce style d'entrée en matière annonçait un embrouilla-mini de première grandeur, assorti d'une dose d'hypocrisie maximale et de turpitudes savamment orchestrées.

— Les services secrets dans l'air ? questionna Higgins.

Une fois encore, le superintendant apprécia la perspicacité de son collègue.

— Kathleen Silway était chargée de présider une réunion secrète de spécialistes du pôle Nord et de rédiger un rapport d'une importance considérable. Fourni par le contre-espionnage, une sorte de bunker leur garantissait une discrétion absolue ; a priori, pas le moindre problème. Mais deux incidents graves ont déjoué ce pronostic : le premier, l'assassinat de Mlle Silway ; le second, l'apparition sur Facebook du chef des services secrets en maillot de bain. Des ministres ont eu beau protester en affirmant que ce n'était pas un secret d'État, le scandale prend d'énormes proportions ; en publiant cette photo, la femme du patron du MI6[1] a rompu la règle de la confidentialité et paralysé le fonctionnement de nos services d'espionnage. Bien que la page ait été retirée du réseau social, le mal est fait ; nommé il y a dix jours, le baigneur doit se consacrer à sa défense. Et l'affaire Silway nous retombe sur le dos. Je dis « nous », car le *Commissionner Chief Constable* m'a confié une mission : « Sollicitez l'intervention de Higgins, qu'il agisse vite et discrètement ; il en va de l'honneur du Royaume-Uni. »

— Vous ne me dites pas tout, mon cher Marlow.

— Vous savez l'essentiel.

— Le grand patron du Yard a ajouté : « Si vous échouez, votre carrière sera brisée. »

— Ce n'est qu'un détail, Higgins.

— Pas pour moi.

Le regard du superintendant chavira.

— Vous… vous envisageriez d'intervenir ?

— J'estimais cette chercheuse, précisa Higgins, car elle possédait une qualité rare dans ce milieu : l'intelligence vraie. Elle ne se laissait pas prendre aux milliers de pages inutiles publiées ici ou là et aux rapports officiels bourrés de mensonges ; seul le dessous des cartes l'intéressait. Et je déteste voir les autorités, surtout administratives, s'attaquer à un ami.

Marlow remplit son verre de cognac et le vida cul sec.

— Bien entendu, reprit Higgins, un agent des services secrets, dont nous ignorerons le nom, va nous exposer la situation et nous chapeauter en permanence.

---

1. Une branche des services secrets britanniques.

– Exactement.

– Hors de question, superintendant. J'accepte de le rencontrer et de l'écouter ; ensuite, je veux les pleins pouvoirs. Vous serez mon unique collaborateur, et Babkocks le médecin légiste.

– Le grand patron…

– Appelez-le et dictez-lui mes conditions. Je vais préparer mes bagages.

Le téléphone portable de Scott Marlow refusa de fonctionner : pas de réseau. Il ne lui restait que l'appareil de Mary, trônant dans sa cuisine.

Disposant d'une ligne directe, le superintendant ne mit qu'une dizaine de minutes à contacter son supérieur.

L'entretien fut houleux et positif.

D'un revers de manche, Marlow éponge a des gouttes de sueur.

– Dites donc, vous, intervint Mary, vous avez une mine de papier mâché !

– Les soucis, la fatigue, le froid…

– Des excuses idiotes de citadin ! On vous apprend quoi, à Scotland Yard ? À relâcher des assassins et à vous empoisonner avec de mauvais produits ! L'hiver, c'est l'hiver, et ce que le Seigneur fait est bien fait. La période de basse pression débute, d'accord ; pas question de se laisser aller !

Le gouvernant désigna à Marlow quatre sacs en jute, munis de solides poignées.

– Le premier contient des courges, expliqua-t-elle ; haut taux de zinc indispensable contre la déprime ; le deuxième, du maïs riche en vitamine B1, productrice d'énergie et de bonne humeur ; le troisième, des lentilles, remplies de fer afin de vaincre la fatigue ; et le quatrième du chou-fleur, le roi de la vitamine C.

— Je vous remercie et…

— Et ça ne suffit pas ! L'allié décisif, c'est le miel.

Mary remit à Marlow une caisse contenant une dizaine de pots.

— Le miel d'acacia régulera vos intestins, précisa-t-elle ; celui d'eucalyptus dégagera vos voies respiratoires ; celui de châtaignier favorisera votre circulation sanguine ; celui de tilleul apaisera vos nerfs ; celui de thym vous protégera des infections ; celui de trèfle favorisera les efforts physiques prolongés ; celui de romarin soignera votre foie ; et celui de bruyère empêchera l'anémie. Il serait bon, dans ce pays, que la police soit en bonne santé ; les criminels, eux, sont en pleine forme !

Marlow porta les précieux remèdes à sa vieille Bentley et en remplit le coffre. À son retour, les trois valises de Higgins se trouvaient à l'entrée.

— J'ai ajouté tout ce que vous aviez oublié, indiqua la gouvernante ; quand on part pour Londres, ce repaire de brigands, la prudence s'impose. Et vous allez sûrement m'attraper une bronchite !

— Soyez rassurée, j'ai songé aux tubes homéopathiques d'*Influenzinum* et de *Kreosotum*.

— À voir la tête de votre collègue, vous voilà embarqué dans une histoire effroyable !

Tapi à l'un des angles du hall, Trafalgar avait l'air contrarié ; les absences de l'ex-inspecteur-chef le désolaient.

Higgins le caressa longuement.

— Je serai bientôt de retour, lui confia-t-il.

Les deux policiers franchissaient le seuil lorsque Mary les apostropha.

— Un instant, ordonna-t-elle ; buvez-moi ce grog aux cinq miels. Et tâchez de n'écraser personne.

Le breuvage était délicieux.

Se sentant d'attaque, Marlow pria sa vieille voiture de démarrer. Revigorée par l'air vif de The Slaughterers, elle s'élança avec vaillance.

Higgins, lui, se demandait s'il ressortirait indemne d'un nid de vipères.

5

Rendez-vous avait été pris au deuxième étage d'un immeuble gris du nord de Londres ; sur la porte, une plaque indiquant : *Agence Smith and Smith.*

Marlow sonna trois fois, attendit et recommença.

La porte s'ouvrit lentement.

Apparut un échalas à lunettes, vêtu d'un costume à rayures.

— Monsieur Smith, je présume ? demanda Higgins.

— Enchanté, inspecteur ; entrez et asseyez-vous, messieurs.

Un studio aux murs blancs, trois chaises marron, une table ovale ; l'endroit était sinistre.

— Vos problèmes de maillot de bain sont-ils résolus ? demanda Higgins.

La glotte de l'échalas effectua une série d'allers et retours.

— À dire vrai, pas complètement ; mais je ne suis pas ici pour vous en parler.

— Soyons clairs, exigea l'ex-inspecteur-chef : j'ai obtenu les pleins pouvoirs et j'entends mener l'enquête à ma guise, sans aucune entrave. Sommes-nous d'accord ?

La glotte reprit son va-et-vient.

— J'ai reçu des instructions en ce sens.

— Vous engagez-vous à les respecter ?

– Vu les circonstances, mes services n'ont pas le choix ; en revanche, nous désirons un résultat rapide, très rapide. Les personnalités actuellement retenues ne jouissent pas de l'immunité diplomatique, et nous avons coupé tout contact avec l'extérieur ; le crime justifie notre attitude, mais les innocents vont vite recouvrer leurs esprits après le choc du meurtre, et j'entends déjà leurs protestations indignées ! Autrement dit, ne traînez pas en chemin.

– La précipitation est mauvaise conseillère ; soyez assuré que j'agirai au mieux.

Le calme et la détermination de Higgins rassurèrent le haut fonctionnaire ; s'il était le meilleur « nez » du Yard, comme le prétendait son dossier, le pire serait peut-être évité.

– La victime n'est pas n'importe qui, déclara-t-il ; une authentique grosse tête ! La liste de ses diplômes m'a impressionné.

– J'ai croisé la route de la « dame du pôle Nord », révéla l'ex-inspecteur-chef.

– Ah... Bon contact ?

– Éclairant, en dépit de sa brièveté ; la remarquable carrière de Kathleen Silway a confirmé mon impression favorable.

– Une grosse cote, une très grosse cote, approuva l'échalas ; ce n'était pas une scientifique ordinaire, et c'est pourquoi elle a été chargée d'une mission confidentielle qui devait se traduire par un rapport officiel et un grand discours à l'ONU.

– Kathleen Silway serait devenue une vedette, commenta Marlow.

– Sans nul doute.

– Quelle était précisément cette mission ? demanda Higgins.

– Dicter à la communauté internationale la conduite à suivre vis-à-vis du pôle Nord dont dépendra, d'après Kathleen Silway, une bonne partie de notre avenir. Étant donné ses compétences et ses exigences, elle présidait une réunion de spécialistes venus des pays directement concernés.

– Pourquoi tant de secret ? s'étonna Scott Marlow.

Le haut fonctionnaire eut un sourire condescendant.

– Comme la plupart des gens, vous n'avez pas conscience de l'énormité des enjeux ; on croit que l'Arctique est une immensité glacée et vide, parcourue par des explorateurs en quête de sensations fortes, et dont les rares habitants sont des chasseurs et des pêcheurs inuits, à la recherche de phoques et d'ours blancs. Eh bien, détrompez-vous ! Loin d'être perdu et oublié, ce continent attire aujourd'hui de féroces convoitises, et je peux vous confier que le nombre de victimes collatérales est en constante augmentation ; s'intéresser de trop près aux richesses de la contrée est une démarche à haut risque. Les Américains, les Canadiens, les Russes, les Danois et les Norvégiens entendent faire valoir pleinement leurs droits, et les Chinois commencent à entrer dans la danse. Le début de la guerre date du 2 août 2007, lorsque deux bathyscaphes russes ont planté leur drapeau à 4 261 mètres de profondeur, sous la calotte glaciaire ; et la Russie revendique pas moins de quarante-cinq pour cent du territoire circonscrit par le cercle arctique. Évidemment, les concurrents ne sont pas restés inactifs et ont lancé quantité de missions dites « scientifiques », chargées d'établir leurs droits de propriété. Les stations d'écoute et les radars se multiplient, Russes et Américains veulent établir là-bas un réseau de missiles antimissiles, et l'on parle d'un « complot américain », à savoir une entente entre les États-Unis, le Groenland et le Danemark, capable de contrer les autres.

– Et ces fameuses richesses ? questionna Marlow.

– Vous n'imaginez pas leur ampleur, superintendant ! Pétrole, gaz, uranium… À cause de la fonte de la banquise, les sites d'exploitation deviennent accessibles. Et je ne vous parle pas d'un coffre-fort abritant des semences qui nourriront leurs heureux propriétaires en cas de famine mondiale. Évidemment, les controverses juridiques sont enflammées ! Kathleen Silway était mandatée pour étudier la totalité du dossier et auditionner les représentants des pays concernés ; et chacun attendait avec anxiété ses conclusions et ses déclarations, y compris une écologiste française qu'elle aurait souhaité écarter ; mais les ONG[1] et les lobbys vert-rouge ont imposé sa présence. Quant à la Chinoise, c'est une espionne chargée de recueillir un maximum de renseignements afin de favoriser, dans l'avenir, les pressions de son gouvernement ; elle sait que nous le savons, et personne ne saurait exclure la Chine d'un cercle de décisions aussi important.

Smith remit à Higgins la liste des participants à cette réunion secrète ; parmi eux figurait l'assassin.

– Pourquoi le Royaume-Uni est-il impliqué ? demanda l'ex-inspecteur-chef.

– Kathleen Silway était une scientifique anglaise… Cela vous suffira-t-il ?

– Non, répondit Higgins.

– Je m'en doutais… Comprenez que nous ne pouvons négliger un tel enjeu. En ce qui concerne l'Antarctique, la Grande-Bretagne fera valoir ses droits auprès des Nations Unies sur plus d'un million de kilomètres de fonds marins ; concernant l'Arctique, nous devons exercer une vigilance constante et agir par personnes interposées, surtout après le regrettable incident de 2007, lorsqu'un de nos sous-marins nucléaires d'attaque, le *HMS Tireless*, a connu une grave

---

1. Organisations non gouvernementales.

avarie sous les glaces du Pôle. Nous avons donc jugé bon d'offrir à Kathleen Silway nos locaux et toutes les facilités matérielles pour mener à bien sa délicate mission.

— Du point de vue de sa sécurité, observa Higgins, ce n'est pas un franc succès.

Le fonctionnaire faillit avaler sa glotte. L'affaire du maillot de bain et le crime de cette scientifique… De quoi déprimer un professionnel aguerri.

— Il y a encore un détail, fut-il contraint d'ajouter ; nos amis américains ont sollicité notre aide à propos d'une affaire embarrassante. Voici quelques mois, la NASA a déposé des canards en plastique dans plusieurs crevasses du Groenland ; le but officiel était de mesurer la rapidité de la fonte des glaces et de préciser le déplacement des eaux en direction de l'océan[1]. Malheureusement, le système GPS n'a pas fonctionné et tous les canards ont disparu ; selon nos collègues d'outre-Atlantique, la Chinoise Li Wan serait responsable de ce piratage.

— C'est pourquoi vous lui avez procuré une accréditation, estima Higgins, avec l'espoir de prouver sa culpabilité.

— J'apprécie votre intuition, inspecteur ; si, au cours de votre enquête, vous pouviez creuser cette piste…

— Inculper cette espionne vous permettrait d'ennuyer un peu le géant chinois.

Un léger sourire anima le visage crispé de l'échalas.

— Nous nous comprenons à merveille.

Higgins se releva et, mains croisées derrière le dos, tourna autour du haut fonctionnaire.

— Vos informations étaient fort précieuses, monsieur Smith : à présent, si nous parlions sérieusement.

---

1. Authentique, comme les autres informations techniques fournies dans ce roman.

6

L'échalas eut un haut-le-cœur.

— Je vous demande pardon ?

— Vous êtes certainement un excellent espion, monsieur Smith, et vous suivez à la lettre les consignes de votre hiérarchie, spécialisée dans les coups tordus. À supposer que votre récit contienne des éléments véridiques, l'ensemble doit recouvrir l'une de ces manipulations de haut vol dont vous êtes coutumier.

— Inspecteur, je vous assure…

— En termes clairs, je vous soupçonne d'avoir assassiné Kathleen Silway, devenue gênante aux yeux de vos supérieurs, et d'utiliser Scotland Yard en lui livrant un coupable idéal, par exemple une Chinoise trop curieuse qu'accableront d'indiscutables indices.

Scott Marlow fixa le haut fonctionnaire d'un œil courroucé ; si Higgins avait raison, le superintendant ne resterait pas silencieux.

— Inspecteur…

— Notre sympathique collaboration aura été brève, monsieur Smith.

— Ne vous emballez pas, je vous prie ! D'accord, votre scénario n'a rien d'invraisemblable ; mais cette fois, croyez-moi, nous sommes en plein smog[1] ! L'affaire du maillot de bain nous a pris par surprise, et cet assassinat aussi ; pourtant, nous estimions la sécurité des participants à cette réunion secrète parfaitement assurée, et nous avons commis une lourde erreur. Très lourde.

— M'assurez-vous que votre service n'est pas responsable de la disparition de Kathleen Silway ? interrogea Higgins en fixant son interlocuteur.

Le haut fonctionnaire baissa la tête.

— Vous donner ma parole vous paraîtra ridicule… Cependant, j'affirme que nous sommes momentanément dépassés et que les autorités vous considèrent comme l'homme de la situation.

Marlow cessa de respirer ; Higgins allait-il claquer la porte ?

Habitué à sonder les cœurs, l'ex-inspecteur-chef jugea non négligeable le taux de sincérité de Mr. Smith ; de la part d'un responsable des services secrets, il méritait considération.

Higgins consulta la liste.

— Il s'agit donc bien d'un crime, et l'assassin ne peut se trouver que parmi ces personnalités présentes à l'endroit et à l'heure du drame ?

— Exactement, inspecteur ! s'exclama le haut fonctionnaire, reprenant espoir ; cette affaire vous concerne, et nous attendons l'arrestation rapide du coupable.

— Permettez-moi d'insister, monsieur Smith : je ne tolérerai ni présence ni intervention d'un de vos agents, et pas davantage la moindre tentative d'obstruction.

— Je vous le confirme, vous avez les pleins pouvoirs.

---

1. Brouillard typiquement britannique.

Higgins se rassit, sortit de sa poche un carnet noir en moleskine et un crayon Staedler Tradition B à la pointe finement taillée.

— Donnez-moi votre version des événements, je vous prie.

— C'est assez simple, inspecteur ; Kathleen Silway avait exigé une semaine d'entretiens secrets dans un endroit sécurisé, et nous lui avons octroyé l'un de nos anciens laboratoires transformé en résidence au confort acceptable. Elle y a installé son bureau, rempli d'un nombre considérable de dossiers sur lesquels elle travaillait depuis longtemps ; ensuite, elle a contacté les spécialistes qu'elle désirait consulter, et tous se sont pliés au règlement imposé afin de défendre leurs intérêts en plaidant la cause de leurs pays respectifs.

— Selon vos indications, rappela Higgins, Kathleen Silway n'avait pas choisi l'écologiste française.

— En effet, mais elle avait néanmoins accepté d'entendre ses arguments.

— Et vos services lui ont imposé la présence de l'espionne chinoise.

— Nous lui avons exposé la situation, et Mlle Silway était heureuse de s'entretenir avec une représentante de la nouvelle grande puissance mondiale. En cas de refus, nous n'aurions pas insisté.

— Bien entendu, vous possédez des dossiers concernant les suspects.

Mr. Smith se pencha, extirpa un cartable noir posé sous son siège et le remit à Higgins.

— Vous pouvez les consulter sur écran, mais l'on m'a dit que vous préfériez un tirage papier.

— Pas d'activités inavouables ? questionna le superintendant.

— Non, déplora l'agent secret ; ce sont tous d'authentiques professionnels, engagés à fond dans leurs recherches.

— Et Kathleen Silway elle-même ? s'inquiéta Higgins.

— Célibataire, pas de liaison connue, pas de vices, une existence vouée jour et nuit au travail et à la recherche.

— Un oiseau rare, jugea Marlow, sceptique.

— Rare et assassiné, regretta Mr. Smith.

— Les circonstances ?

— D'après les rapports de nos agents de sécurité qui bouclaient la résidence et interdisaient toute communication grâce à un brouillage haut de gamme, une alerte incendie s'est produite hier soir à 21 h 40. Conformément aux consignes, les invités de Kathleen Silway sont sortis de leurs appartements afin d'être évacués. Comme elle n'apparaissait pas, le chef des agents a ouvert sa porte en utilisant un code spécial et l'a trouvée morte, dans sa cuisine, le crâne fracassé. Puisque la cuisinière qui préparait les repas a vu Kathleen Silway au réfectoire vers 21 h 15, j'en conclus que le crime a dû être commis aux alentours de 21 h 30.

— Pourquoi s'était-elle rendue au réfectoire ?

— Elle désirait du pain complet à griller ; nous avons effectivement retrouvé des toasts. Et rassurez-vous : la scène de crime est intacte, nous avons décidé de ne toucher à rien, en espérant votre venue rapide. C'est un triste spectacle, je vous préviens. Quant aux suspects, ils sont bouclés ; pour le moment, ils paraissent choqués et acceptent la nécessité de l'enquête. Ça ne va pas durer.

— Quelle était la cause de l'alerte incendie ?

— Un détecteur de fumée hypersophistiqué qui s'est déclenché tout seul. Parfois, la technique…

— L'emplacement de ce détecteur ?

— Devant la porte de Li Wan.

— Et vous ne la soupçonnez pas de l'avoir détraqué ?

– Par principe, si, mais avec quelle intention ?

– Celle de s'enfuir après avoir commis un meurtre.

– Tout à fait impossible, affirma le haut fonctionnaire ; nos agents l'auraient interceptée.

De son écriture rapide et précise, Higgins prenait des notes ; au grand soulagement de Scott Marlow, l'enquête avait vraiment commencé.

– Avant de me rendre sur le terrain en compagnie du superintendant et du légiste, reprit l'ex-inspecteur-chef, un dernier point à voir avec vous, monsieur Smith. Un point essentiel, car il constitue le mobile du crime : le rapport de Kathleen Silway à propos du pôle Nord, issu de cette semaine d'entretiens secrets et de ses longues recherches personnelles. Elle utilisait un ordinateur de la dernière génération, je suppose ?

La glotte de l'agent secret remonta brutalement.

– Certainement, inspecteur.

– Elle s'en est servie pour rédiger son texte, n'est-ce pas ?

– C'est… très probable.

– Cet ordinateur, vous l'avez emprunté.

– Nous… Nous avons laissé les lieux intacts.

– Allons, monsieur Smith ! Ce rapport, vos services voulaient se le procurer, surtout après la disparition tragique de Kathleen Silway. Ils ont donc emporté son ordinateur et l'ont remplacé par un autre où Scotland Yard ne trouvera rien.

Le haut fonctionnaire tenta d'adopter un air indigné.

– Je veux l'original, monsieur Smith, et le texte qu'ont obtenu vos experts en informatique.

L'agent secret commençait à comprendre les commentaires figurant dans le dossier Higgins : « incorruptible, non influençable et incontrôlable ». Ceux qui le surnommaient « le confesseur » ne s'étaient pas trompés ; son regard fouillait l'âme et la placidité de son élocution hypnotisait. Lui mentir n'était pas facile.

— Nous avions des impératifs, reconnut-il, et nos experts ont eu des difficultés à briser les défenses de l'ordinateur de Kathleen Silway.

— Ses conclusions ?

— On ne les connaîtra jamais ; le texte ne comportait que ces mots : « Rapport sur l'avenir du pôle Nord ».

7

Mr. Smith ayant promis de faire parvenir au Yard l'ordinateur de Kathleen Silway pour d'ultimes vérifications, les trois hommes empruntèrent la voiture de l'agent secret, une Aston Martin bleu métallisé, digne de celle de James Bond. Mesurant plus de cinq mètres, équipée d'un V12, de feux xénon, de vitres teintées, d'une caméra de recul, d'un système vidéo avec écrans dans les appuie-tête, d'un système audio comportant quinze haut-parleurs, de sièges chauffant mémorisant la température idéale et des dernières innovations technologiques, le bolide fit un arrêt à l'hôtel *Connaught* afin d'y déposer les bagages de Higgins, puis s'élança vers le « bunker » où Kathleen Silway avait été assassinée.

Implanté au cœur d'une zone industrielle en partie désaffectée, le bâtiment n'avait rien d'attrayant. Il était truffé de caméras minuscules, et ses rares fenêtres grillagées évoquaient une prison.

Smith se présenta face à une petite porte blindée et demeura immobile une trentaine de secondes. Une lumière verte éclaira son visage, et l'agent secret tapa une suite de quinze chiffres sur un digicode.

La porte s'ouvrit.

Apparut une tête carrée, franchement rébarbative. Cheveux en brosse, oreilles dégagées, yeux agressifs, épaules solides, doigts épais... Un militaire d'une quarantaine d'années qui n'avait pas passé son temps à éplucher des pommes de terre ou à rédiger des rapports.

— Sergent O'Connell, je vous présente l'inspecteur Higgins et le superintendant Marlow. Notre hiérarchie et celle du Yard leur ont donné les pleins pouvoirs, et vous devrez répondre à toutes leurs questions et satisfaire à toutes leurs exigences.

— À vos ordres ! Entre nous, c'est pas trop tôt... J'ai l'habitude des cadavres, mais celui de la brunette commençait à être encombrant. Pauvre fille, elle ne méritait pas ça ! À notre époque pourrie, faut quand même respecter les morts ; et moi, j'ai salement merdé ! Si vous voulez ma démission...

— On en parlera plus tard, trancha le haut fonctionnaire.

— Merci de votre aide, dit Higgins ; à présent, nous prenons cette affaire en mains.

— Je pourrais vous accompagner et...

— Inutile, monsieur Smith ; le sergent O'Connell connaît forcément les lieux à la perfection et nous servira de guide.

— Affirmatif, déclara le militaire.

— Nous sommes pressés, rappela l'agent secret. Très pressés. Dès que vous aurez obtenu un résultat, alertez-moi ; voici le numéro auquel vous me joindrez à toute heure.

*

* *

L'intérieur ressemblait à celui d'une caserne ultra-moderne et d'une propreté impeccable. Bureau des agents de sécurité, armurerie, infirmerie, cuisine, réfectoire, douches et toilettes, vestiaire, dortoir, salle de télécommunications, local administratif.

— Vous l'avez appelé comment, l'échalas ? demanda le sergent O'Connell à Higgins.

— Je le connais sous le nom de Smith.

— Moi, sous celui de Wesson ; bizarre… Enfin, aucune importance. Vous allez direct au cadavre ?

— Non, nous attendons le légiste ; et j'aimerais d'abord que vous nous parliez de l'alarme incendie.

Scott Marlow éternua.

— Saloperie d'hiver, constata le sergent ; j'ai le nécessaire contre les microbes.

O'Connell emmena les deux policiers à la cuisine et leur prépara un grog aux trois rhums et aux épices.

— Connais pas d'autre remède, confessa le gradé ; il m'a évité de crever de froid chez les Russkofs, en Afghanistan et dans les Balkans. Ça descend bien et ça vous élimine la vermine.

De fait, dès la première gorgée de grog, le superintendant se sentit mieux.

— J'ai vraiment merdé, avoua O'Connell, visiblement affecté ; pourtant, toutes les précautions avaient été prises, et cette bande de scientifiques polaires n'a pas des tronches de malfrats !

— Combien d'agents de sécurité ? questionna Marlow.

— Neuf vétérans et une vétérane triés sur le volet dont je garantis l'absolue moralité. Alors, ce petit remontant ?

— Fort efficace, reconnut Higgins ; pourriez-vous nous préciser les circonstances du drame ?

— La journée avait été calme, comme les précédentes, indiqua O'Connell, la mine sombre ; et hier soir, l'alarme incendie s'est déclenchée au premier étage, où résident les scientifiques.

— À quelle heure ? demanda Higgins.

– Facile, c'est enregistré : 21 h 40. Une saloperie de détecteur de fumée défectueux ! Le progrès, le progrès... Et un beau paquet d'équipements foireux ! Je mâchonnais un sandwich à la moutarde quand la sonnerie m'a crevé les tympans, je me suis rué là-haut et je n'ai pas vu la moindre fumée.

– Vos locataires, eux, étaient-ils tous présents ?

Le sergent se gratta le front.

– J'en ai l'impression...

– Impression ou certitude ?

– Impression tendant vers la certitude... Si l'un d'eux avait manqué à l'appel, je m'en serais aperçu. Ils ont tous respecté les consignes et sont sortis de leurs chambres après avoir entendu cette sacrée sonnerie qui déménageait sacrément ! J'ai mis un moment pour l'interrompre en apercevant le signal rouge du détecteur situé en face de la porte de la Chinoise ; lorsqu'elle s'est arrêtée, on s'est sentis soulagés.

– L'un de vos protégés, interrogea l'ex-inspecteur-chef, était-il vêtu de manière curieuse ou inhabituelle ?

O'Connell se gratta le front.

– Voyons, voyons... Non, ça m'aurait frappé.

– Et personne n'est sorti en retard de sa chambre ?

– Ça, je m'en serais rendu compte !

– La Chinoise Li Wan a-t-elle tenté de s'enfuir ?

Le sergent parut stupéfait.

– Ah non, pas du tout ! Elle était calme, comme les autres ; ces scientifiques n'ont pas de nerfs. Pas un cri, pas une protestation... De vrais membres d'un commando superdisciplinés !

– Avez-vous donné l'ordre d'évacuation ?

– Non, car il n'y avait pas de fumée et surtout parce que j'ai noté l'absence de Kathleen Silway ! Sacrée surprise... Pas question de partir sans elle ! Une seule solution : ouvrir sa porte.

8

Revivant cet instant douloureux, le sergent O'Connell se remémora les gestes qu'il avait accomplis.

— Kathleen Silway, je l'avais aperçue vers 21 h 15 quand elle était descendue au réfectoire ; elle avait demandé des tranches de pain afin de se faire des toasts. Pourquoi ne sortait-elle pas de sa chambre, pourquoi était-elle la seule à ne pas avoir entendu l'alerte incendie ?

— Comment avez-vous ouvert sa porte ? demande Higgins.

— L'une des mesures de sécurité était une serrure à code. Lorsqu'un visiteur s'annonçait, il tapait son numéro d'identification sur un digicode extérieur, numéro qui s'inscrivait sur un écran intérieur. Seule la patronne, Kathleen Silway, connaissait les numéros d'identification de tous les autres, lesquels ne possédaient que le leur et le sien. Si l'un des scientifiques lui demandait audience, Mlle Silway découvrait aussitôt son identité ; et si elle voulait leur rendre visite, ils pouvaient lui ouvrir en toute confiance. Quant à moi, je disposais d'un code particulier me permettant d'ouvrir n'importe quelle porte en cas d'urgence. Et c'en était une !

— Vous, et vous seul ?

— Affirmatif, inspecteur. Et ça a marché, la porte blindée s'est ouverte, je suis entré et j'ai appelé : « Mademoiselle Silway, vous êtes là ? » Pas de réponse, personne dans le salon, le bureau et la chambre ; restait la cuisine. Je l'ai trouvée étendue sur le carrelage, le crâne fracassé et je me suis dit : « O'Connell, c'est la grosse panade ; surtout, ne touche à rien et préviens ton supérieur. » Je suis sorti, j'ai refermé, j'ai prié les scientifiques de regagner leurs logements et appelé Wesson. Il n'a pas tardé, le bougre ! Lui et deux acolytes ont constaté les dégâts et se sont contentés d'emporter un ordinateur ; ils m'ont ordonné d'assigner nos hôtes à résidence et de patienter.

– Depuis, personne n'est entré ?

– Impossible.

Une alarme stridente se déclencha. Le sergent se précipita à la salle de contrôle ; des écrans offraient la vision du sosie de Winston Churchill, un cigare à la bouche, vêtu d'une veste de pilote de la Royal Air Force, d'un pantalon de cuir noir et tenant une lourde sacoche.

– Bon Dieu, une attaque !

– Non, intervint Higgins, c'est Babkocks, le médecin légiste.

Bougon et mal embouché, les poches remplies de tabacs exotiques aux senteurs douteuses, le spécialiste se déplaçait à l'aide d'un engin de guerre, une moto pétaradante provenant d'El-Alamein qu'il réparait lui-même. Il entretenait sa forme grâce à de fréquentes cures à Bordeaux, sous l'égide de l'association des médecins amis du vin et, selon sa propre expression, nettoyait sa tuyauterie au whisky irlandais de contrebande dont la consommation aurait dû être interdite. Nul n'était autorisé à franchir les portes de son laboratoire, et ses méthodes n'appartenaient qu'à lui ; mais Babkocks voyait ce que les autres ne voyaient pas, et Higgins le considérait comme le meilleur légiste du Royaume-Uni. Quand il donnait ses conclusions, l'ex-inspecteur-chef disposait de bases solides.

La porte du bunker s'ouvrit ; le sergent O'Connell eut une impression très favorable.

— Salut les amis, dit Babkocks d'une voix éraillée ; je vous raconte pas ma nuit ! Une Thaïlandaise a tenté de m'apprendre le yoga tantrique et, ce matin, je me suis occupé du suicide d'un juge richissime qui s'est tiré trois balles dans le dos.

Le légiste regarda autour de lui.

— Alors, encore un coup foireux des services secrets ?

— On n'y est pour rien, protesta le sergent. Dites donc, vos cigares, vous les achetez où ?

— Je les fabrique moi-même ; vous en voulez un ?

— Sans vous importuner...

— Pas de problème.

D'une main sûre, Babkocks fabriqua un objet non iden-tifié dont l'odeur, à froid, agressa les narines.

— Au premier, déplora O'Connell, il est interdit de fumer ; je m'offrirai ce petit plaisir au dîner. Un petit grog avant de commencer, ça vous dirait ?

— Pas de refus, j'ai besoin de m'hydrater.

Babkocks but le breuvage comme un verre d'eau.

— Léger et désaltérant, constata-t-il ; client ou cliente ?

— Cliente, révéla Higgins.

— Une espionne qui a raté une marche ?

— Une scientifique britannique, la meilleure spécialiste mondiale du pôle Nord.

— Plutôt frigorifiant... On bosse ?

Trois gardes étaient postés dans le couloir du premier étage desservant les locaux attribués aux spécialistes venus participer à la semaine d'entretiens secrets sous la houlette de Kathleen Silway. Et l'un d'eux avait une autre idée en tête : la supprimer.

Higgins repéra des caméras.

– Vous possédez un film de l'alerte incendie, suggéra-t-il au sergent, espérant ainsi découvrir le comportement des suspects à ce moment crucial.

O'Connell eut l'air atrocement gêné.

– Euh… Non. Le système est tombé en panne à 21 h 25, on l'a réparé après cette fausse alerte ; maintenant, personne ne peut faire un pas sans être filmé. Quand la poisse s'en mêle…

– La poisse ou un sabotage ?

– Il faudrait être sacrément tordu !

– Oubliez-vous qu'un crime a été commis, sergent ?

O'Connell grommela quelques jurons irlandais.

– Mon cher Babkocks, conclut Higgins, je peux t'indiquer l'heure de l'assassinat : entre 21 h 25 et 21 h 40.

– Si, en plus, tu fais mon boulot ! Et tu connais déjà le coupable ?

– Malheureusement non ; ouvrez-nous la porte de l'appartement de Kathleen Silway, sergent, exactement comme hier soir.

Se sentant observé, O'Connell perdit son sang-froid et commit une erreur.

– Saloperie de chiffres ! Il y en a tellement… Un instant, je recommence.

Cette fois, l'essai fut réussi, et la lourde porte métallique, émettant un « clic », s'entrebâilla.

Le visage des quatre hommes devint grave.

Ils s'apprêtèrent à découvrir une scène de crime et à pénétrer dans le dernier domaine d'une jeune femme assassinée, loin des grands espaces de son pôle Nord.

Higgins en était persuadé : les minutes qui allaient suivre seraient décisives. Il fut le premier à franchir le seuil.

9

Le salon était d'une parfaite banalité. Canapé médiocre, moquette industrielle, table basse sans style. Le vaste bureau était encombré de nombreux dossiers, consacrés aux multiples aspects du pôle Nord, de l'historique des expéditions aux gisements de pétrole et autres richesses. Un témoignage émouvant : le livre de bord d'un navire, le *Hecla*, qui avait quitté les côtes anglaises en 1821 pour tenter de découvrir un passage au nord-ouest ; au prix de cent périls, ce vaisseau de guerre de la Royal Navy avait atteint le bassin de Foxe, sur le cercle polaire arctique, séjournant là deux hivers, particulièrement rigoureux. Ce type de document était un véritable trésor accordé aux climatologues, car les observations des commandants fournissaient de précieux renseignements : températures, tempêtes, direction des vents, état de la banquise et de la mer, incidents divers.

Sur une table en métal, un manuel d'informatique ; manquait l'ordinateur que les services de Mr. Smith devaient remettre à Scotland Yard.

La chambre était monacale : un lit et une commode.

– Convoquons-nous des techniciens de l'identité judiciaire ? demanda Marlow.

– À votre guise, superintendant ; je crains qu'ils ne trouvent ni empreintes ni indices. L'assassin est un scientifique qui aura pris les précautions nécessaires ; à mon avis, pas la moindre trace de son passage.

Méticuleux, Scott Marlow préféra convoquer une équipe de techniciens ; mais son téléphone portable lui signala : « Pas de réseau. »

— Notre système de brouillage fonctionne, constata O'Connell, satisfait ; utilisez mon appareil.

La communication fut établie, l'équipe arriverait au plus vite.

La tension monta de plusieurs crans ; il fallait pénétrer dans la cuisine et le superintendant, malgré son expérience, ne s'habituait pas aux cadavres. En dépit de son impassibilité, Higgins ne lui ressemblait-il pas ?

Babkocks fut le premier à contempler le corps de Kathleen Silway.

Moderne, correctement équipée, la cuisine était aussi terne que le reste de l'appartement ; à la différence des autres pièces, un grand désordre y régnait.

À côté de la victime, la tempe droite ensanglantée, deux bouteilles brisées : la première d'huile, la seconde de vin. Mélangés, les deux liquides formaient une flaque. Sur la table, un grille-pain renversé et débranché contenant un toast calciné, et deux toasts nappés d'un coulis de tomates.

Babkocks s'agenouilla, ouvrit sa lourde sacoche, en sortit des instruments bizarres et procéda à l'examen de sa patiente. Higgins, Marlow et O'Connell demeurèrent figés et silencieux, cessant presque de respirer ; en ces moments-là, le légiste déployait une puissance de concentration et d'analyse dont peu d'êtres se montraient capables.

Au terme d'une bonne demi-heure, il se releva, le dos lourd.

— Ça pue l'embrouille, affirma-t-il.

— Cause de la mort ? demanda Higgins.

– La tempe fracassée à la suite d'un coup d'une violence inouïe. Elle a senti un danger et s'est tournée de côté, mais n'a pas eu le temps de s'écarter. L'assassin projetait de lui défoncer la nuque et a été surpris par cette réaction ; en essayant de se défendre, elle a renversé au passage les deux bouteilles.

– L'heure du crime te convient ?

– Pas de problème.

– Et l'arme ?

– Gros problème.

– Quel type d'objet ?

– Je te le répète, Higgins, gros problème ; j'ai une petite idée, je dois vérifier. Si je ne me trompe pas, tu es en présence d'un sacré tordu.

Le sergent O'Connell opina du chef ; décidément, ce légiste lui plaisait.

– L'ambulance est-elle arrivée ? demanda Babkocks.

Le militaire vérifia.

– Elle vous attend.

– Bon, j'embarque ma cliente ; on a encore à parler, elle et moi, et j'espère qu'elle me fera des confidences.

Les ambulanciers enfermèrent le cadavre dans une housse, et leur véhicule, sirène hurlante, l'achemineraît au laboratoire de Babkocks dont la moto pétaradante se joue-rait des embouteillages.

– Veuillez nous confier votre code d'ouverture de la porte de Kathleen Silway, monsieur O'Connell, et nous laisser.

– C'est délicat, je…

– Vos instructions sont formelles, rappela Scott Marlow.

– Bon, d'accord, céda le sergent en énonçant les chiffres que nota l'ex-inspecteur-chef.

— À propos, intervint le superintendant, la serrure a bien une mémoire ?

— Moi, vous savez, l'électronique…

— Donnez-moi votre portable.

— Ah non, je…

— Donnez-le-moi, exigea Marlow ; vous disposez forcément d'autres appareils sécurisés, et moi, je veux pouvoir communiquer en permanence avec le Yard.

Le sergent s'inclina et sortit de ce sinistre appartement.

Le superintendant contacta le service informatique de la police et réclama une intervention immédiate.

— Cette affaire sera peut-être résolue en quarante-huit heures, Higgins ; si la mémoire a préservé le code qu'a utilisé le dernier visiteur de Kathleen Silway, peu avant l'heure du crime, il nous donnera le nom de l'assassin.

— Le ciel vous entende, mon cher Marlow.

— C'est l'intérêt de l'informatique : accélérer les recherches et fournir des preuves indiscutables.

Dubitatif, Higgins s'imprégna de l'atmosphère de cette cuisine fonctionnelle et sans âme où avait été commis un crime et, s'inspirant des premières indications fournies par Babkocks, tenta de revivre le moment tragique qui avait brisé une existence et une carrière.

Une nécessité s'imposa : Higgins devait payer de sa personne.

De l'index, il préleva du coulis de tomates et le goûta. La saveur remarquable, douce, onctueuse et ensoleillée, ne pouvait émaner que d'un fruit produit de manière artisanale, sans intervention chimique et industrielle. L'agriculture intensive inondait le marché de tomates dépourvues de goût et d'intérêt nutritif, mais hautement rentables. Adepte d'une alimentation saine et de qualité, Kathleen Silway avait l'intention de vivre vieille et en bonne santé. De plus, du coulis de vraies tomates sur un pain grillé offrait un mets aussi simple que succulent ; il rappelait à Higgins d'heureux moments italiens.

L'ex-inspecteur-chef examina les débris des deux bouteilles. D'après l'étiquette, le vin était un médoc convenable et léger ; un ou deux verres facilitaient la circulation du sang et ne gênaient pas la concentration d'une intellectuelle ayant à traiter des dossiers complexes. En effectuant le choix de ce cru bourgeois, Kathleen Silway témoignait de son caractère raisonnable et pondéré.

Restait la bouteille d'huile d'olive, de forme oblongue et portant une étiquette originale. Représentant un olivier centenaire chargé de fruits mûrs, elle comportait un texte vantant les mérites d'un produit rare, travaillé à l'ancienne et provenant d'un domaine de Sardaigne.

Du petit doigt, Higgins préleva un peu d'huile au goulot et la goûta.

— Exceptionnel, superintendant, tout à fait exceptionnel !

— Y aurait-il de grands crus d'huile d'olive ?

— Celui-ci est même millésimé, et à juste titre ; que les techniciens du Yard nous procurent sa composition exacte et analysent le vin.

Adepte des méthodes en constante évolution de la police scientifique, Marlow appréciait une telle démarche.

— Je n'oublierai pas les tomates et le pain grillé, ajouta-t-il ; si intelligent soit-il, l'assassin a probablement commis une erreur.

Silencieux, Higgins examina le moindre recoin de la cuisine, mais ne décela pas d'autre indice exploitable.

— Aux techniciens d'intervenir, décréta l'ex-inspecteur-chef ; je vous invite à dîner au *Connaught*.

Les deux hommes attendirent les informaticiens et l'équipe de l'identité judiciaire ; avant de quitter le bunker, Higgins s'adressa au sergent O'Connell.

— Annoncez à vos hôtes que Scotland Yard recueillera leurs témoignages demain matin. Le superintendant et moi-même comptons sur vous, sergent : qu'aucun des suspects ne s'échappe.

O'Connell se tint au garde-à-vous.

— J'ai assez merdé comme ça ! Ce coup-là, y aura pas de raté, foi de gradé !

10

Scott Marlow se sentait honoré d'être l'invité de Higgins à sa table du *Connaught*, le plus beau fleuron de Carlos Place, haut lieu de la tradition britannique et bastion des valeurs résistant aux modes et aux lubies. Ici, on avait l'impression d'être hors de l'écoulement inexorable du temps ; discrets et zélés, la majorité des employés avait des cheveux blancs et se vantait d'accomplir un service impeccable. Dans le hall, la salle à manger, les salons et les chambres, seuls étaient admis des meubles anciens et authentiques, évoquant les heures illustres de l'Angleterre ; pas la moindre trace de mauvais goût. Résider au *Connaught*, qui n'avait ni brochure ni tarif, ressemblait à un privilège, en raison du nombre restreint de chambres, que l'on ne pouvait pas réserver par téléphone. Il fallait écrire, avec courtoisie, ou bien appartenir à un cercle d'habitués, tel Higgins.

Doté de panneaux de chêne, le restaurant était un havre de paix ; les lustres de cristal diffusaient une lumière douce. L'ex-inspecteur-chef choisit une spécialité de la maison, la queue de bœuf accompagnée de haricots verts, précédée d'une terrine à l'armagnac, et suivie d'un stilton et d'un fondant au chocolat. Étant donné la rude journée à venir, un revigorant saint-émilion s'imposait.

Fervent admirateur de l'époque victorienne, de l'empire britannique et de Sa Majesté Élisabeth II, le superintendant appréciait ce bastion protecteur.

— Parfois, dit Higgins, le mobile du crime est une véritable énigme ; aujourd'hui, nous le connaissons : l'assassin voulait empêcher Kathleen Silway de publier son rapport et de s'exprimer à la tribune de l'ONU.

— Il a réussi, déplora Marlow.

— Peut-être l'exploration de l'ordinateur de la victime nous réserve-t-elle une bonne surprise.

— Les spécialistes des services secrets ne sont pas des manchots ! Et s'ils ont extrait le texte de Kathleen Silway, ils le garderont pour eux.

— Négligeriez-vous le poids du patron de Scotland Yard ?

L'argument ne manquait pas de valeur.

— Smith et sa hiérarchie me paraissent désemparés, affirma Higgins, et je ne crois pas qu'ils joueront au plus fin ; à nous d'utiliser cet avantage provisoire. Et nous disposerons bientôt d'éléments de première importance : les résultats d'autopsie de Babkocks, ceux des informaticiens et des techniciens de l'identité judiciaire.

Marlow était surpris ; Higgins se comportait comme un inspecteur de la nouvelle génération, disciple des récentes technologies !

Revenant à ses habitudes, l'ex-inspecteur-chef sortit son carnet noir et l'ouvrit à une page couverte de chiffres.

— Vers 21 h 15, hier soir, rappela-t-il, Kathleen Silway a été vue vivante au réfectoire, où elle a demandé du pain à griller ; à 21 h 25, l'assassin a mis en panne le système de surveillance par caméras du premier étage ; vers 21 h 30, il a utilisé son code pour solliciter une entrevue avec sa future victime, qui lui a ouvert sa porte ; à 21 h 40, une alerte incendie s'est déclenchée, et le sergent O'Connell, s'apercevant de l'absence de Kathleen Silway, a pénétré dans son appartement et découvert son cadavre. L'horaire est établi, non l'interprétation des faits.

La sonnerie du portable de Marlow troubla la quiétude du restaurant et provoqua des regards courroucés de la part des dîneurs et des serveurs.

– Oui, je vous écoute… Parfait. Comment, pas de spécialiste cette nuit ? Trouvez-m'en un immédiatement et qu'il se mette au travail ! Je veux des résultats au plus vite.

Le superintendant raccrocha.

– Bonne nouvelle, Smith a tenu parole : ses services nous ont livré l'ordinateur de Kathleen Silway. S'il recèle des données inexploitées, nous les découvrirons ; et si notre ami Smith l'a vidé de son contenu, nous le saurons aussi. Toute manipulation informatique laisse des traces.

Ce repas léger se termina par un verre de vendanges tardives, un vin rare à base de raisins surmaturés, cueillis en décembre ; ce nectar poussa le superintendant à la confidence.

– Je tiens à vous remercier pour votre aide, Higgins ; honnêtement, je ne pensais pas parvenir à vous embarquer dans cette galère. Quand on voit les services secrets à l'horizon, on n'a pas envie d'entreprendre le voyage.

– L'amitié est une valeur sacrée, mon cher Marlow, et je n'aime pas qu'on assassine des personnalités de la trempe de Kathleen Silway. Je l'ai à peine connue, mais j'ai eu le sentiment d'être en présence d'une scientifique de qualité, vouée à ses recherches et à autrui.

– Je vais secouer mes techniciens, annonça le superintendant ; à cause de ces fichues contraintes administratives, on perd du temps et de l'énergie. À quelle heure souhaitez-vous que je passe vous chercher ?

– Huit heures vous convient-il ?

— Parfait, nous serons au bunker à neuf heures.

Higgins remis à Marlow la liste des suspects que lui avait donnée Mr. Smith.

— Je l'ai recopiée sur mon carnet noir, précisa-t-il ; une Chinoise, un Norvégien, un Russe, un Canadien, un Américain, une Danoise et une Française... De fait, le pôle Nord est devenu international. Et parmi ces spécialistes se cache un assassin.

— Ceux-là aussi, on va les secouer ! promit Marlow ; pensez-vous les réunir d'abord ?

— Non, je préfère les interroger un à un, dans leur domaine privé.

— Et s'ils s'y opposent ?

— N'avons-nous pas les pleins pouvoirs, superintendant ?

Sentant Higgins déterminé, Marlow entrevoyait une issue heureuse à cette enquête particulièrement sensible ; peut-être les glaces de l'Arctique ne briseraient-elles pas son rêve d'assurer un jour la protection rapprochée de Sa Majesté Élisabeth II.

Le portable du superintendant lui annonça l'arrivée d'un message.

— Déjà le grand patron, grogna-t-il ; il veut connaître nos premiers résultats et nous rappelle que le temps nous est compté. Limite imposée : deux jours. Après, on relâche tout le monde et on étouffe l'affaire.

La brièveté du délai inquiéta Marlow qui se promit de joindre Babkocks afin de lui demander d'accélérer ; inutile de songer à dormir, tant il restait de problèmes à régler.

Des flocons de neige commençaient à tomber, avec une lenteur gracieuse ; le capot de la vieille Bentley se couvrait de blanc, et le voiturier du *Connaught* le nettoya à l'aide d'une brosse à poils doux.

– N'oubliez pas les remèdes de Mary, recommanda Higgins ; ils vous aideront à conserver votre énergie.

La Bentley s'élança vaillamment en direction du Yard ; à son âge, ces sorties nocturnes, surtout en plein hiver, n'étaient pas recommandées. En bonne auxiliaire de police, elle ne rechignait pas à la tâche.

11

Le petit déjeuner du *Connaught* était une merveille. En dégustant un toast grillé à point et couvert d'une marmelade d'oranges artisanale, Higgins songea à la malheureuse Kathleen Silway dont la disparition le révoltait. Ce sentiment ne relevait pas du hasard et lui indiquait que cet assassinat était profondément injuste ; écouter ce genre d'instinct procurait souvent une piste décisive.

Ses ablutions terminées, Higgins se vêtit d'une chemise blanche sur mesure, d'un pantalon en flanelle anthracite provenant de chez *Trousers*, dans Regent Street, et d'une veste bleu nuit due au talent de son tailleur personnel, un artiste travaillant chez *Stovel and Mason*. Il choisit une cravate en soie d'un rouge profond, discrètement ornée d'un blason à ses armes.

La neige continuait à tomber, cette fois en abondance ; manteau en cashmere, foulard et casquette seraient indispensables, de même que des bottines fabriquées par *Lobb*, fournisseur de la Couronne.

À sept heures, il composa le numéro du colonel Sir Arthur Mac Crombie, membre du cercle très fermé des amis de Higgins, lesquels formaient officiellement un club d'archéologie, en réalité consacré à l'étude des plats en sauce et des bonnes bouteilles.

Levé tous les jours à six heures, après les honneurs rendus au drapeau, le colonel habitait une énorme villa, non loin de Greenwich, où il avait amassé une quantité considérable de documents, dont certains, fort confidentiels, relatifs aux grandes et petites guerres qui permettaient aux humains de s'étriper sur toute la planète. Amateur de blagues salaces et de mauvais goût, Sir Arthur Mac Crombie considérait comme anarchiste quiconque n'embrassait pas la carrière des armes.

À la troisième sonnerie, la voix rauque et autoritaire du colonel éclata dans l'écouteur.

— Mac Crombie, fidèle au poste !

— Arthur, c'est Higgins.

— Higgins, ce vieux forban ! Alors, encore un cadavre sur les bras ?

— On ne peut rien te cacher.

— Tu me raconteras tes histoires sordides en venant dîner à la maison ; ma cuisinière galloise te préparera du sanglier mariné à la groseille et nous boirons mon alcool de prune.

L'épreuve s'annonçait redoutable, mais l'ex-inspecteur-chef avait besoin des lumières du colonel.

— Posséderais-tu des renseignements à propos d'un sergent O'Connell, la quarantaine, aujourd'hui chargé de la sécurité d'un bâtiment des services secrets, au nord de Londres ?

— Un instant.

Trois minutes suffirent à Sir Arthur Mac Crombie pour extraire de ses archives la fiche du sergent.

— Excellents états de service, dit-il à Higgins ; un parfait militaire, respectueux du règlement, vénérant ses chefs, exécutant les ordres sans sourciller. A bataillé en Europe, en Afrique et en Asie. Comportement remarquable, moralité impeccable. À la sortie du service actif, a été engagé par les services secrets en raison de ses qualités ; avec lui, jamais d'embrouille et rigueur certifiée. Si j'en crois mon instinct, ce bonhomme-là n'est pas ton coupable.

— Tu confirmes mon opinion, Arthur.

— Je t'attends, vieux forban !

Le colonel raccrocha.

Higgins n'avait plus qu'à choisir son parfum ; il adopta l'eau de Cologne Royal Yacht, dont la fragrance se composait de citron vert des Indes et de muguet.

À huit heures précises, il monta à l'avant de la vieille Bentley, amusée de parcourir les rues enneigées de Londres que nombre d'automobilistes, redoutant de monstrueux embouteillages, avaient désertées.

— Pas trop épuisé, mon cher Marlow ?

— Je me suis fait chauffer un mélange de lentilles, de maïs, de chou-fleur et de courge à cinq heures, et dégusté plusieurs miels en dessert ; résultat, je ne sens même pas le froid ! Votre gouvernante est une sorte de génie.

La capitale se parait d'un habit magique qu'illuminait un soleil inattendu, perçant les nuages entre deux averses de neige. Il fallait les pneus expérimentés de la vieille Bentley pour éviter les dérapages et se frayer son chemin en respectant une allure paisible.

— Le grand patron m'a appelé à six heures, révéla le superintendant, et j'ai réussi, momentanément, à le rassurer ; nos délais, cependant, n'ont pas varié.

— Des résultats d'expertise ?

— D'abord, l'examen poussé de l'ordinateur ; j'ai rameuté trois techniciens de première force, et leurs conclusions sont identiques : deux tentatives d'intrusion.

— L'une de l'assassin, l'autre des services secrets, estima Higgins.

— Probable, admit Marlow ; pourtant, l'ordinateur de la victime était équipé d'un algorithme de cryptage WPA2, très performant, et d'un protocole de sécurisation HTTPS.

— L'assassin a-t-il pu forcer l'accès de l'appareil en quelques minutes ?

— À deux conditions : qu'il l'ait piraté auparavant et qu'il soit un hacker de haut niveau.

— Hacker, dites-vous ?

— Un informaticien capable de briser n'importe quelle défense en utilisant tous les moyens techniques, la plupart illégaux.

— Qu'ont déniché les spécialistes du Yard ?

— Strictement rien, l'ordinateur était vide ; juste l'intitulé qu'a énoncé Mr. Smith : « Rapport sur l'avenir du pôle Nord ». À l'évidence, Kathleen Silway n'a pas eu le temps de le rédiger, et l'assassin l'a réduite au silence.

— Êtes-vous absolument certain qu'il ne s'est pas emparé du contenu, à savoir ce fameux rapport ?

— Absolument. Je vous le confirme : l'appareil était vide. Higgins ne cessait de prendre des notes.

— Et la serrure de l'appartement de Kathleen Silway ?

— La tâche s'annonce complexe, car le numéro de code qu'a utilisé O'Connell semble avoir effacé les précédents.

— Semble ?

— Il reste des traces, et les techniciens du Yard espèrent pouvoir reconstituer le code de l'assassin.

— En combien de temps ?

— D'ici ce soir ; en cas de réussite, nous détiendrons une preuve formelle.

— L'identité judiciaire ?

— De ce côté-là, chou blanc ! J'ai envoyé ma meilleure équipe, dotée du maximum de moyens ; ils ont exploré les lieux à fond et n'ont recueilli aucun indice intéressant.

– L'assassin a composé son code, relata Higgins, Kathleen Silway l'a identifié, lui a ouvert sa porte sans crainte, ils sont allés directement à la cuisine, peut-être parce qu'elle souhaitait lui offrir un verre et l'écouter en mangeant. Elle n'éprouvait pas la moindre méfiance à son égard et fut stupéfaite en discernant l'esquisse de l'agression. La cuisine... Le drame s'est déroulé là. Quand aurons-nous une analyse précise de l'huile et du vin ?

– Pas avant ce soir ; le directeur du laboratoire est en vacances, son adjoint souffre d'une grosse grippe, et j'ai dû convoquer des remplaçants.

– Pas d'empreintes ?

– Celles de la victime, répondit Marlow.

– L'assassin n'a donc touché aucune des deux bouteilles.

– Et s'il portait des gants ?

– Ne se serait-elle pas méfiée ?

Marlow opina du chef.

– Avez-vous joint Babkocks ?

– Il accélère et nous donnera ses conclusions en fin de soirée ; « un coup vraiment tordu », m'a-t-il assuré.

La vieille Bentley progressait à son rythme, Higgins songea à l'*Ode neigeuse* de la poétesse Harriett J. B. Harrenlittlewoodrof, promise au prix Nobel de littérature :

> *Nuages en fuite, flocons de désespoir,*
> *Éclaircies divines, destins de glace,*
> *Vous formez des âmes de givre,*
> *Et les sentiers gelés mènent à l'aube boréale.*

Les deux hommes approchaient du bunker, prêts à entrer dans l'arène ; Higgins pressentait de rudes confrontations qui nécessiteraient doigté et concentration. Persuadé d'avoir perpétré le crime parfait, l'assassin n'avait sans doute pas commis les erreurs techniques qu'espérait le superintendant.

La Bentley se sentit bien à l'abri au cœur du garage des services secrets, Marlow et Higgins empruntèrent l'ascenseur du personnel accrédité. Identifiés, ils montèrent au rez-de-chaussée ; à peine ouvraient-ils la porte qu'un O'Connell tourneboulé les aborda.

– Par tous les saints du paradis, quelle soirée !

12

– Allons au réfectoire, recommanda O'Connell ; moi, j'ai besoin d'un remontant.

Les traits du gradé étaient creusés, il vida son premier grog de la journée.

– Vous n'imaginez pas le cirque ! La Française a exigé qu'on fasse le ménage chez elle à dix heures du soir, la Danoise voulait manger des harengs de la Baltique, le Russe boire de la vraie vodka, l'Américain un bourbon du Kentucky, le Norvégien réclamait un somnifère et le Canadien un jeu d'échecs électronique... Et tout ça immédiatement !

– La Chinoise ne vous a rien demandé ? interrogea Marlow.

– Ah non... Rien. Et ça ne s'est pas arrêté là ! À minuit, les nerfs du Canadien ont craqué ; ce fou furieux a tenté de forcer le passage et de s'enfuir. Le maîtriser n'a pas été facile ; lorsqu'il s'est enfin calmé, ce fut le tour de l'Américain de se déchaîner ! Un rude gaillard, sacrément costaud ! La Française s'est plainte de la violation des droits de l'homme, et j'ai dû montrer les dents en précisant qu'ils étaient tous soupçonnés de meurtre et qu'ils devraient répondre aux enquêteurs de Scotland Yard ; du coup, ils se sont calmés. Et voilà qu'à trois heures du matin, le Canadien nous a fait un malaise ! Simple abus de cognac... Crénom de crénom, quel cirque ! Maintenant, je vous passe le relais ; vous débutez par qui ?

– La Chinoise, répondit Higgins.

*

* *

Li Wan ouvrit sa porte.

Grande, menue, les yeux noirs, les cheveux courts et fins, elle avait beaucoup de charme. Âgée de trente ans, la jeune Asiatique semblait sûre de sa beauté. Vêtue d'une blouse bleue et d'un pantalon de soie noir, elle dévisagea longuement ses interlocuteurs, témoignant d'un calme parfait.

– Scotland Yard ?

– Inspecteur Higgins ; je vous présente le superintendant Marlow. Pouvons-nous entrer ?

La Chinoise hésita un instant.

– Je vous en prie.

Un petit salon, deux fauteuils modernes, une table métallique, quelques dossiers ; aux murs, une carte du pôle Nord et des planches consacrées aux sports de combat. Pas d'ordinateur.

– Disposez-vous d'une cuisine ? interrogea Higgins.

– Désirez-vous la voir ?

– S'il vous plaît.

Une pièce fonctionnelle et froide. Une énorme théière, une tasse à moitié remplie de thé, une autre de céréales. À côté de la cuisine, la porte de la chambre était entrebâillée ; la Chinoise l'ouvrit largement.

Un lit bas défait, une armoire carrée en bois blanc ; pas un vêtement ne traînait. Les deux policiers retournèrent dans le petit salon.

– Souhaitez-vous du thé ? demanda Li Wan.

– Non, merci, répondit Higgins qui était le seul Anglais à détester la boisson nationale.

– Désolée, je ne dispose que de deux sièges, déplorat-elle ; ce logement est plutôt modeste.

– Je resterai debout, décréta l'ex-inspecteur-chef.

La Chinoise s'assit avec grâce et croisa les mains posées sur ses genoux ; face à elle, le superintendant se sentait mal à l'aise. Cette femme paraissait indéchiffrable.

La première impression de l'ex-inspecteur-chef se confirmait : une odeur particulière imprégnait l'endroit, à prédominance de santal et d'encens.

– Votre présence nous pose un problème délicat, mademoiselle.

– Les services anglais m'accusent d'être une espionne, je sais.

– Se trompent-ils ?

– Oui et non.

– Pourriez-vous être plus claire ?

– Nos cultures sont très différentes, inspecteur, et les mots utilisés n'ont pas toujours le même sens. Les pays européens ont tendance à se diluer dans une broyeuse économique, la Chine émerge et s'affirme ; je suis au service de cet ancien empire qui s'intéresse à toutes les évolutions de notre monde.

– Par exemple, celle du pôle Nord ?

– Par exemple. En apprenant la tenue de la réunion secrète sous la présidence de Kathleen Silway et l'importance du rapport qui en résulterait, mon gouvernement a insisté auprès du vôtre pour que la Chine n'en fût pas exclue ; c'est pourquoi je suis ici au titre d'observatrice privilégiée. Comment les fabuleuses ressources de l'Arctique laisseraient-elles mon pays indifférent ?

– Seriez-vous une spécialiste de cette région ?

– Je le suis devenue ; nul domaine n'est étranger à nos universités, et nos formateurs sont excellents.

Li Wan s'exprimait de façon posée et restait immobile comme une statue ; entre elle et ses interlocuteurs se dressait un mur difficile à franchir.

– Kathleen Silway n'avait pas sollicité votre venue, me semble-t-il ; son accueil fut-il néanmoins favorable ?

– Certes pas ! J'ai dû lui prouver ma connaissance du dossier et affirmer l'intérêt de la Chine envers le pôle Nord ; à sa surprise succéda la considération, et nos entretiens se révélèrent fructueux.

– *Vos* entretiens ?

– Nous nous sommes vues à plusieurs reprises, en effet, et j'ai constamment exposé les préoccupations de mon gouvernement, désireux de préserver l'équilibre de la planète, en interdisant à des prédateurs, fussent-ils redoutables, de contrôler une région aussi stratégique que le pôle Nord. Savez-vous que la glace de méthane remplacera le pétrole, le gaz et le charbon ?

De légères inflexions de la voix prouvaient l'engagement de la Chinoise, décidée à revenir de Londres avec des résultats.

– Vos arguments ont-ils touché Kathleen Silway ?

Li Wan réfléchit.

– Touché… Je ne saurais dire. C'était une personne réfléchie, patiente, qui écoutait très attentivement et ne coupait pas la parole ; mais elle ne laissait pas transparaître ses sentiments et ne semblait guère influençable. De plus, elle était dotée d'une mémoire remarquable et connaissait son sujet à fond ; à la moindre erreur, elle ne manquait pas de vous la signaler, non sans irritation. Quand elle m'a annoncé que son rapport, tellement attendu par la communauté internationale, était achevé, je me sentais incapable d'en deviner le contenu.

Scott Marlow sursauta.

– Vous avez bien parlé d'un rapport… terminé ?

– En effet, superintendant.

– Kathleen Silway a bien prononcé ce terme-là ?

La Chinoise changea légèrement de position.

– Ce terme-là, je le confirme.

13

Higgins observait les planches fixées au mur et représentant des figures de karaté, sport moderne dérivé des arts martiaux qu'il avait pratiqué lors de ses séjours en Orient.

– Ne possédez-vous pas d'ordinateur, mademoiselle Wan ?

La Chinoise esquissa un sourire et sortit de la poche de sa blouse une petite tablette ultraplate.

– Nous n'avons pas besoin de la technologie américaine, constata-t-elle, et nous continuerons à conquérir le monde grâce à la qualité de nos produits.

– Que contient cet appareil ? interrogea le superintendant.

– Mes notes de travail.

– C'est une pièce à conviction, mademoiselle ; je vous prie de me la remettre afin que les services spécialisés de Scotland Yard l'examinent.

– Hors de question ! refusa Li Wan, crispée ; cet objet est la propriété de la République populaire de Chine.

– Oubliez-vous qu'un crime a été commis ? Si vous vous opposez à la bonne marche de l'enquête, je serai contraint d'utiliser la force.

L'Asiatique sentit que le superintendant ne plaisantait pas.

– En quoi cet objet vous intéresse-t-il ?

– Peut-être renferme-t-il le rapport de Kathleen Silway.

Haussant les épaules, Li Wan remit la tablette à Marlow, lequel appela aussitôt un coursier ; sans doute, en raison du nombre d'indices à décrypter, les navettes entre le Yard et le bunker des services secrets seraient-elles fréquentes.

— Vous savez probablement percer les codes de n'importe quel ordinateur ? insista Marlow.

La Chinoise eut une moue dédaigneuse.

— Douteriez-vous de l'excellence de notre formation ? Notre technologie et nos universités n'ont rien à envier aux vôtres ; bientôt, vous serez à jamais dépassés.

— Avez-vous tenté de pénétrer dans l'ordinateur de Kathleen Silway ?

— Je n'en ai pas eu l'occasion.

— Peu avant 21 h 30, le soir du crime, n'avez-vous pas essayé de la revoir ?

— Nos entretiens étaient terminés et je me préparais à quitter cet endroit sinistre.

Higgins s'attardait sur une figure offensive assez complexe, mais souvent décisive.

— Seriez-vous une adepte de ce genre d'activité, mademoiselle Wan ?

La Chinoise se leva et se plaça aux côtés de l'ex-inspecteur-chef ; en dépit de son admiration pour Élisabeth II, son idéal féminin, Marlow admit que Li Wan était fort belle.

— Puisque les services secrets britanniques vous ont ouvert leurs dossiers, inutile de jouer au plus fin, inspecteur. Grâce à l'appui des autorités de mon pays, il me fut possible de mener de front des études supérieures et une carrière sportive de haut niveau. Je convoitais le titre de championne du monde de karaté lorsqu'une méchante blessure au genou m'a brisée net ; la compétition terminée, je me suis mise au service du gouvernement.

— Votre formation athlétique vous permet de fracasser le crâne de n'importe qui, je suppose ?

— Avec une aisance certaine, reconnut Li Wan ; et j'ai accompli un exploit dont je suis fière : rejoindre La Havane en soixante heures de nage, en partant de l'île américaine de Key West, autrement dit relier le territoire des impérialistes oppresseurs à celui d'un pays révolutionnaire et libéré. Autour de ma cheville, un bracelet électronique produisait un champ magnétique repoussant les requins ; toutes les deux heures, un bateau ravitailleur me fournissait un kilo de nutriments et un litre d'eau. De la gomme à mâcher réduisait le gonflement de ma langue causé par l'eau salée. Et je suis parvenue à franchir 165 kilomètres, à la gloire de l'indépendance de Cuba. À travers ma modeste personne, la Chine a démontré l'inefficacité de l'embargo des États-Unis et leur inaptitude à gérer la planète.

— Beau succès, reconnut Higgins ; il prouve une grande maîtrise de votre corps et de vos émotions.

— Le karaté l'impose.

— Nombre de combattants en sont incapables, objecta l'ex-inspecteur-chef ; votre entraînement physique ne s'accompagnait-il pas d'une pratique de la méditation ?

Pour la première fois, le regard égal de la Chinoise se modifia ; elle considéra Higgins d'un œil étonné.

— Aucun Occidental ne saurait percevoir l'ampleur de cette discipline, affirma-t-elle, presque rageuse.

— Des milliers d'heures de méditation sont inutiles, estima Higgins, si l'on ne sort pas de son petit « moi » et de ses petites souffrances afin d'accéder à la conscience de l'universel.

– Seriez-vous… un adepte du dissident Lao-Tseu ?

– Un détail m'intrigue, déclara l'ex-inspecteur-chef ; le détecteur d'incendie qui a provoqué l'alarme se trouve en face de votre chambre.

La Chinoise se rassit et reprit une position hiératique.

– Qu'insinuez-vous, inspecteur ?

– Vos multiples compétences ne vous permettraient-elles pas de détraquer ce détecteur ?

– Et pourquoi l'aurais-je saboté ?

– Supposons que Kathleen Silway ait rejeté les propositions de la Chine et vous ait annoncé que son rapport n'en tiendrait aucun compte ; en cas d'échec, n'avez-vous pas reçu l'ordre de la supprimer, de provoquer une panique en déclenchant l'alarme incendie et de vous enfuir ?

Li Wan demeura impassible.

– Il faudra le prouver, inspecteur.

Scott Marlow fut persuadé que l'Asiatique n'était pas étrangère au crime : cerveau ou bras armé ?

– Nous nous y emploierons, mademoiselle.

– Et si vous ouvriez les yeux ?

– Vos conseils nous seraient précieux.

– Je ne vous ai rien caché. D'autres, en revanche…

– Des précisions nous seraient utiles.

– Les Britanniques refusent de voir les malversations de leurs grands frères américains.

Scott Marlow se révolta.

– Le Royaume-Uni est une puissance souveraine, mademoiselle !

– J'en doute, superintendant ! On me taxe, moi, d'espionnage, et on laisse l'Américain Berny Garanke agir en toute impunité. Vos dossiers seraient-ils incomplets ou refuseriez-vous de les consulter ? Garanke joue les explorateurs, lui, l'agent de la CIA[1], dont le but est d'obtenir un maximum de voies maritimes et de sites stratégiques pour son pays ! Peu importe le nombre de cadavres dans son sillage.

– Ce sont de graves accusations, jugea Marlow ; avez-vous des preuves ?

– Trouvez-en, superintendant.

---

1. *Central Intelligence Agency*, le principal service d'espionnage américain.

14

Assis au sommet de l'escalier menant au couloir desservant les appartements des hôtes du bunker, O'Connell siro-
tait son deuxième grog de la journée.

— Satisfaits ? demanda-t-il aux deux policiers ; drôle de
corps, cette Chinoise ! Celui qui percera ses secrets n'est pas
encore né.

— On ne peut jurer de rien, observa Higgins ; veuillez
nous annoncer à Mlle Sienna Batik.

— Ah, la Danoise ! Vous n'allez pas vous ennuyer ! Moi,
je monte la garde ; s'il y en a un qui tente de s'enfuir, je
lui parlerai du pays. Ça me rappellera de bons moments.

O'Connell fit le code de la porte de la scientifique
danoise ; quand elle s'ouvrit, son occupante poussa un cri.

— Qu'est-ce que c'est ?

— Scotland Yard, annonça Marlow d'une voix martiale.

— Une seconde, je m'habille !

Sienna Batik se réfugia dans sa chambre.

Le superintendant et l'ex-inspecteur-chef découvrirent un
salon ressemblant à un magasin de vêtements. Jupes, robes,
corsages, pulls, sous-vêtements, chaussettes, chaussures et
accessoires étaient étalés sur la moquette et les meubles ;
s'y ajoutait une impressionnante quantité de produits de
beauté.

— Cette Chinoise m'a fait mauvaise impression, murmura Marlow ; une espionne n'apprend-elle pas à mentir comme elle respire ? À mon avis, elle est impliquée dans ce crime d'une manière ou d'une autre.

Higgins n'émit pas d'objection, traversa le salon en évitant de piétiner des pantalons et observa une petite bibliothèque où, à côté de deux ordinateurs, étaient empilés des catalogues de fruits et de légumes en diverses langues.

Sur la table de la kitchenette voisine, un bol de thé vert, un jus d'orange, une assiette de céréales et des amandes.

La Danoise jaillit de sa chambre.

Grande, blonde, les cheveux longs, les yeux bleu clair, elle portait une robe-bustier en coton mettant en valeur sa superbe poitrine. Au cou, un collier de perles naturelles ; un bracelet, en or rose.

Pieds nus, les ongles peints en rose vif, elle n'avait pas eu le temps de se maquiller.

— Vous me voulez quoi ?

— Vous parler de l'assassinat de Kathleen Silway, précisa Higgins.

— Ah oui, c'est vrai… Une histoire bien ennuyeuse.

— Ennuyeuse ? s'étonna Marlow.

— On me retient ici, et je commence à m'ennuyer, c'est vrai… Et vous me surprenez au saut du lit, alors que je n'ai même pas pris mon petit déjeuner ! Encore une sale journée en perspective… Moi, je n'aime pas qu'on me bouscule. À peine levée, je suis déjà fatiguée.

La Danoise s'affala sur un canapé vert encombré de collants.

— Pourriez-vous nous montrer votre chambre ? demanda Higgins.

— Ma chambre ?

– Votre chambre, répéta le superintendant, sévère.

– Je suis obligée ?

– Vous l'êtes.

– C'est… une perquisition ?

– Si vous voulez.

– Et… Vous avez un mandat ?

– Aimeriez-vous passer quelques jours en prison ?

– Franchement, non ! Bon, allons-y.

La modeste pièce était, elle aussi, une sorte de penderie témoignant du goût de la jeune femme pour les pyjamas, les nuisettes et autres déshabillés.

Les deux policiers regagnèrent le salon ; la Danoise sommeillait.

– Désolé de vous réveiller, dit Higgins, paisible, mais nous devons vous interroger.

– M'interroger… À propos de quoi ?

– De l'assassinat de Kathleen Silway, précisa le superintendant, se demandant si cette scientifique avait toute sa raison.

Sienna Batik secoua la tête, agitant ses cheveux, et ferma les yeux un long moment.

– Kathleen est morte… Non, ce n'est pas possible ! Pourtant, il faut me rendre à l'évidence, quoique je n'en aie pas envie. Je préfère l'imaginer vivante, parlant de sa passion, décrivant ses randonnées au pôle Nord. Kathleen, morte… C'est injuste et ça n'a pas de sens ! Un simple cauchemar… Un bol de thé vert, je vais me réveiller, et nous reprendrons notre discussion.

La Danoise se frotta les paupières.

– C'était un cauchemar, n'est-ce pas ?

– Non, répondit Higgins ; Kathleen Silway a été assassinée.

– Comment… et par qui ?

– Nous sommes ici pour le découvrir.

– L'assassin, je le pendrai moi-même !

– Ce sera difficilement réalisable, prédit Marlow ; devons-nous comprendre que la victime était votre amie ?

Sienna Batik écrasa une larme.

– Le terme serait excessif ; en réalité, Kathleen n'avait pas d'amis. Seuls son travail et ses recherches comptaient, et tous les spécialistes de l'Arctique la reconnaissaient comme l'autorité suprême. Moi, j'admirais ses compétences et sa connaissance prodigieuse des dossiers ; personne d'autre n'avait une vue d'ensemble des problèmes et n'était capable de proposer des solutions.

– Des solutions acceptables par l'ensemble des États concernés ? interrogea Higgins.

– Comment le saurais-je ? s'étonna la jeune femme, au regard soudain moins vaporeux. Kathleen avait rassemblé des spécialistes de haut vol afin d'entendre leurs arguments en faveur de leurs chapelles respectives, mais c'était elle, et elle seule, qui rédigerait le rapport final destiné aux instances internationales.

– Rédigerait, dites-vous ? Le texte n'était-il pas achevé ?

– Je l'ignore ; Kathleen n'était pas du genre à faire des confidences, nul ne pouvait percer ses pensées. Inutile d'espérer la manipuler ou l'influencer ; il ne restait qu'à défendre ses propres thèses avec un maximum d'arguments pertinents et sans commettre d'erreurs, car elle ne vous ratait pas ! Parfois, j'avais l'impression qu'elle connaissait mon dossier mieux que moi-même… Kathleen disparue, assassinée, je n'en reviens pas !

– Avant le déclenchement de l'alarme incendie, que faisiez-vous ? demanda Higgins.

La Danoise prit un temps de réflexion.

– La semaine d'entretiens étant terminée, je me déten-
dais en jouant à un jeu de stratégie sur mon ordinateur.
Un jeu de...

Sienna Batik rosit et porta les mains à ses lèvres, s'impo-
sant silence.

15

Le regard de la scientifique allait de Marlow à Higgins et de Higgins à Marlow ; patients, les deux policiers attendaient la suite de sa déclaration.

— Vous… vous jugerez ça scandaleux, mais c'est une malheureuse coïncidence, si affreuse ! Je ne pouvais pas savoir !

— À quoi jouiez-vous donc ? interrogea l'ex-inspecteur-chef.

Honteuse, Sienna Batik tordit le bas de sa robe.

— Une énigme criminelle à résoudre… Une châtelaine a été assassinée, et l'on recherche le coupable parmi les invités à un grand dîner, présents ce soir-là.

— L'arme du crime ?

— Une bûche qui a fracassé le crâne de la châtelaine.

— Et le coupable ?

— Je ne l'ai pas trouvé et n'ai pas recommencé à jouer.

— Pourrais-je examiner vos ordinateurs ? demanda Marlow.

— Si vous voulez… Le premier, le rose, contient des éléments techniques liés à ma profession ; le second, le vert pomme, des jeux.

Le superintendant se mit au travail.

— Cette profession, reprit Higgins, quelle est sa nature exacte ?

– Sans exagération ni vantardise, mes collaborateurs et moi-même tentons de préserver l'avenir de l'humanité en utilisant l'une des qualités du pôle Nord : le froid. Sur l'archipel du Svalbard, à un millier de kilomètres au sud du Pôle, nous avons créé une sorte de coffre-fort géant, véritable réservoir mondial de semences[1] ; il se présente sous la forme d'un entrepôt fortifié, creusé dans la montagne, et la sécurité maximale a été assurée : parois en béton armé, portes blindées, installation clôturée et surveillée en permanence, alarmes. Les trois chambres froides, situées à l'extrémité d'un tunnel, permettront de stocker jusqu'à 4,5 millions d'échantillons de semences, conservées à - 18° ; en cas de conflit, de catastrophe naturelle ou de panne causant la défaillance du système de réfrigération, le permafrost, le sol gelé, assurera une température en dessous de - 4° et sauvera les semences à partir desquelles on pourra nourrir les survivants, tout en garantissant la biodiversité. Notre sanctuaire est tellement solide qu'il résistera même à une attaque de missiles ; vu les désastres écologiques menaçant la planète, la réussite de cette entreprise me paraît primordiale. Et je ne cesse de rassembler des graines de blé, de soja, de riz, des variétés de fruits et de légumes dont certaines sont en voie de disparition, sans oublier les plantes médicinales et communes indispensables à la fabrication des médicaments.

– Une sorte de conservatoire de la vie, commenta Higgins, songeant à son dernier entretien privé avec Sa Majesté Élisabeth, au cours duquel la souveraine avait autorisé, pour la première fois depuis la Deuxième Guerre mondiale, la mise en culture d'un potager à Buckingham, précisément afin de préserver les semences de plantes menacées.

---

1. Authentique.

– Peu de gens imaginent les périls qui nous guettent, poursuivit la Danoise ; l'agriculture intensive épuise les terres, quantité de maladies agressent céréales, fruits et légumes, la chimie pollue hors de tout contrôle réel et la démographie continue à galoper ! Sélectionner des variétés résistantes, voire rares, nous sauvera un jour de la famine. Et je n'espère pas l'aide des partis écologistes, ces illusionnistes qui ont collé du vert sur le rouge pour abuser les gogos !

– Qu'attendiez-vous de Kathleen Silway ?

– Quelle prenne pleinement conscience des enjeux alimentaires et considère notre premier conservatoire de semences comme un prototype ; en s'inspirant de cette expérience, je souhaite transformer le pôle Nord en arche de Noé, à l'exclusion de toute démarche commerciale. Exploiter les richesses de cette région reviendrait à l'anéantir, et les conséquences seraient terrifiantes.

– Kathleen Silway partageait-elle votre point de vue ?

Sienna Batik hésita.

– Honnêtement, je l'ignore.

– Vos relations amicales...

La Danoise s'emporta.

– Je vous le répète, elle n'avait pas d'amis ! Moi, je l'estimais, mais était-ce réciproque ?

– Vous seriez-vous pliée à ses décisions, même contraires à vos désirs ?

La jeune femme se leva.

– J'aimerais terminer mon petit déjeuner, me doucher et me rendre présentable ; Scotland Yard m'accordera-t-il cette faveur ?

– Bien entendu, mademoiselle.

Sienna Batik s'éclipsa.

Higgins s'approcha de Marlow, rivé à ses écrans d'ordinateur.

— Des découvertes, superintendant ?

— Le premier engin contient effectivement des notes relatives au centre de stockage des semences avec plans, description détaillée des lieux, mesures de surveillance, et liste des céréales, plantes, fruits et légumes préservés. S'y ajoutent des témoignages de scientifiques, de politiciens et d'économistes en faveur du développement de ce type d'installation.

— Rien concernant le rapport de Kathleen Silway ?

— Rien du tout.

— Et le second ordinateur ?

— Une série de jeux.

— Dont celui de la châtelaine au crâne fracassé ?

— J'ai identifié le coupable : un policier à la retraite persuadé d'avoir commis le crime parfait. Personnellement, je n'apprécie pas.

— Pas de document caché parmi ces jeux ?

— Pas le moindre ; notre Danoise a gardé un côté enfantin. C'est bizarre, mais elle ne m'inspire pas confiance ! Son magnifique projet est trop... magnifique. En général les bienfaiteurs de l'humanité autoproclamés sont les pires fripouilles.

Songeant à une kyrielle de fausses gloires encensées dans les dictionnaires, Higgins se réjouit de la lucidité de son collègue.

— Pouvez-vous vous assurer que ces deux ordinateurs ne dissimulent pas d'information essentielle ?

— Je vérifie.

Lorsque Sienna Batik réapparut, toujours pieds nus, elle était somptueuse et faisait songer à une star de cinéma, prête à séduire les caméras. Chevelure flamboyante, visage maquillé à la perfection, robe rouge au décolleté profond, regard dévorant.

— Une tasse de thé vert, messieurs ?

— Non, merci, répondit promptement Higgins ; en revanche, j'aimerais des précisions à propos d'un sujet qui m'intrigue.

— Lequel inspecteur ?

— Votre qualité de représentante officielle du gouvernement danois.

16

La jeune femme s'assit, le buste droit ; semblant tout à fait réveillée, elle affichait une indéniable prestance et soutint le regard de Higgins.

— Je m'attendais à cette question ; ne pas me la poser eût été une erreur professionnelle.

Poursuivant ses vérifications informatiques, Marlow tendait l'oreille ; l'interrogatoire prenait une nouvelle tournure.

— Si je ne m'abuse, avança Higgins, le Danemark, à travers le Groenland, garde un œil attentif sur le pôle Nord.

— Bien que nous soyons un petit pays, inspecteur, nous avons des droits et entendons les exercer ; le Groenland, on l'oublie souvent, est la plus grande île du monde : 2 175 600 kilomètres carrés, 2 500 kilomètres de long, 1 200 kilomètres de large, et sa calotte glacière atteint une altitude de 3 220 mètres. Savez-vous que notre Groenland contient de l'uranium, du plomb, du cuivre, du graphite et d'autres richesses connues des seuls spécialistes ?

— Telles Kathleen Silway et vous-même.

— En effet.

— N'est-ce pas un Islandais qui a découvert le Groenland ?

— Erik le Rouge, en 982, précisa Sienna Batik ; à la suite de la christianisation, l'île passa sous domination norvégienne avant de disparaître des annales, en raison d'une intense période de refroidissement. En 1721, Hans Egede, un missionnaire danois, redécouvrit le Groenland, et cette résurrection fut suivie de nombreuses explorations ; et, depuis 1953, le destin de l'île, quel que soit son degré d'autonomie, est indissociable de celui du Danemark. Approuvé par le référendum en 1979, le statut d'autonomie interne du Groenland n'atténue pas ses liens avec mon pays.

— Les États-Unis ont-ils approuvé ?

La Danoise se crispa.

— L'accord dano-américain de 1951 garantit la sécurité de nos territoires. Cependant...

— Cependant ?

— Je ne crois pas aux intentions bienveillantes des Américains et surtout pas à celles de leur représentant ici, ce soudard de Berny Garanke ! L'avez-vous passé sur le gril ?

— Pas encore, mademoiselle.

— Vous ne serez pas déçu, inspecteur ! La violence de ce sinistre personnage est angoissante ; je le crois capable de tous les mauvais coups.

— Y compris d'un assassinat ?

Sienna Batik fit la moue.

— Je ne possède pas de preuves, hélas ! Sinon, je vous les fournirais immédiatement.

— Quelles sont les causes de votre animosité, mademoiselle ?

— Animosité... Le mot est faible ! Des malfaisants comme ce Garanke compromettent l'avenir de la planète à cause de leur double langage. Son portrait officiel est celui d'un explorateur chevronné, connaissant le pôle Nord mieux que quiconque pour l'avoir sillonné en toutes saisons en risquant mille fois sa vie ; de tels exploits lui ont valu son accréditation. Garanke, représentant officiel des États-Unis, interlocuteur de Kathleen Silway ! Pitoyable mascarade... Comment les autorités scientifiques américaines ont-elles pu tomber dans le panneau ? Garanke est un raté, un faux explorateur, un baratineur qui s'est contenté de survoler le pôle Nord en ne courant aucun risque !

La Danoise se leva et tenta de ranger des robes et des blouses ; énervée, elle les empila à un angle de la pièce.

— Bizarre, estima Higgins.

— Pourquoi cet étonnement ?

— Une semaine d'entretiens secrets, la meilleure spécialiste du pôle Nord, un petit nombre d'invités soigneusement choisis... et un Américain incompétent ! Ce n'est guère crédible, mademoiselle Batik.

— J'évoque un stratège, pas un incompétent ; Berny Garanke ne se soucie pas de l'avenir du pôle Nord, mais uniquement des intérêts politiques et économiques de l'Oncle Sam ! Il n'existe pas de personnage plus acharné et plus redoutable. Il aura tout mis en œuvre pour convaincre Kathleen Silway d'adopter ses vues.

— Que sous-entendez-vous par « tout » ?

— Un Américain est un Américain ; lorsque la première puissance mondiale s'active, rien ne résiste au passage du bulldozer !

— Pas même Kathleen Silway ?

— Elle a peut-être eu tort de résister, insinua Sienna Batik d'une voix sourde ; et s'il n'y avait eu que lui...

— Un complice ? demanda Higgins.

— Les Américains et les Canadiens se détestent, paraît-il ; moi, j'en doute.

— Un exemple ?

— Vous me gênez, inspecteur.

— Permettez-moi d'insister, mademoiselle.

La Danoise se leva, déplaça des pantalons et des chaussures, retourna s'asseoir.

– Berny Garanke a un grand ami, le Canadien Dough Miglet, à la solde de l'industrie pétrolière, et fermement décidé à transformer le pôle Nord en gigantesque exploitation. Des torrents de dollars en perspective et, pourtant, ils ne lui suffisent pas ! Miglet avait son propre projet et comptait en tirer une fortune. S'il avait été moins bavard, je n'en aurais rien su.

La blonde aux cheveux longs regarda au plafond, se remémorant une scène lointaine.

– Il était accoudé au bar d'un grand hôtel de Copenhague, vers une heure du matin, après une longue journée de conférence et de débats ; je l'ai salué avant de monter me coucher, et il m'a lancé : « Ma petite, viens donc boire un verre, je te raconterai ma vie. » D'ordinaire, je réponds à ce genre d'invitation par un haussement d'épaules et un regard méprisant ; cette fois, Dieu sait pourquoi, je me suis installée à côté de lui, j'ai siroté un whisky allongé et écouté ce Dough Miglet que je ne cessais de combattre en public et en privé. « Y a pas que le pétrole, petite, a-t-il affirmé ; le Pôle, c'est une vraie mine d'or ; quand je dis d'or, je devrais dire : de diamants. Ça te la coupe, hein ? Des diamants sous la glace, ça paraît dingue ! Eh ben, c'est la vraie vérité. Et qui c'est qui connaît l'emplacement d'une quantité de diamants à faire pâlir d'envie un maharajah ? Je te le donne en mille, petite : c'est ce foutu Dough ! Et cette fortune-là, elle m'appartiendra bientôt. T'imagines bien que je vais pas en parler à mes employeurs… Après tout, je me suis assez gelé au pôle Nord pour réchauffer mon compte en banque dans les grandes largeurs ! À force d'arpenter cette saloperie de banquise, j'ai déniché le gros lot. »

Higgins prenait des notes sur son carnet noir.

— Voilà, inspecteur, je vous ai relaté fidèlement ce curieux épisode.

— Vous êtes une fort jolie femme, mademoiselle Batik ; Dough Miglet n'a-t-il pas tenté de vous... importuner ?

La Danoise prit un air de jeune fille effarouchée.

— Vous me gênez beaucoup.

— Un témoignage n'a de valeur que s'il est complet, insista Higgins.

La séduisante blonde se fit violence.

— Au terme de ses révélations, il a vidé son dixième verre et m'a regardée de ses yeux d'ivrogne : « Tu me branches, petite ; ça t'amuserait de m'aider à piquer les diamants en douce ? Un joli collier et des bagues, ça t'irait bien, non ? Évidemment, faut qu'on devienne copains, très bon copains... Mon lit est superconfortable, y a du champagne dans la chambre. Des distractions pour adultes, ça te chante ? »

— Comment avez-vous réagi ?

— En lui jetant au visage le contenu de mon verre ! Et je me suis éloignée. Furieux, il a essayé de me rattraper mais s'est effondré au pied du bar. À présent, inspecteur, vous savez tout.

D'un hochement de tête négatif, Marlow signifia à son collègue qu'il n'avait rien trouvé d'intéressant dans les deux ordinateurs de la Danoise.

Sienna Batik se releva, sculpturale et conquérante.

— Vous ai-je été utile ?

— Grâce à vous, nous progressons.

— N'oubliez pas, inspecteur : concernant l'avenir du pôle Nord, les États-Unis et le Canada ont forcément partie liée. Et Kathleen Silway ne l'ignorait pas.

— Avant de nous revoir, mademoiselle, une dernière question : avez-vous apprécié les harengs de la Baltique ?

– J'en ai mangé de meilleurs et j'ai conscience qu'ils proviennent de la mer la plus polluée du monde, mais ce fut un petit plaisir pendant cette pénible période de réclusion ; quand me rendrez-vous ma liberté ?

– Dès que possible, mademoiselle Batik.

17

Le sergent O'Connell dévorait un sandwich à la moutarde et aux raisins secs, accompagné d'une pinte de bière irlandaise à 12°.

— Ça avance ? demanda-t-il aux deux policiers sortant de chez la Danoise.

— Pas à pas, répondit Higgins.

— Au milieu de la matinée, j'ai toujours un petit creux, avoua le militaire ; ça vous dirait, un en-cas ?

Marlow aurait volontiers étudié la question, mais Higgins consultait déjà sa liste.

— Annoncez-nous à Waldemar Karnowski, sergent.

O'Connell s'acquitta de sa tâche.

Sur le seuil apparut un cinquantenaire aux cheveux blancs d'un 1,80 mètre et d'une rare élégance ; il portait une chemise jaune pâle en soie et un pantalon noir aux plis impeccables que maintenait une ceinture en crocodile, ornée d'une boucle en argent massif. L'œil exercé de Higgins ne pouvait s'y tromper.

— Heureux de vous recevoir, messieurs, puisque j'y suis contraint ; autant accomplir cette formalité de manière conviviale. À qui ai-je l'honneur ?

— Inspecteur Higgins et superintendant Marlow.

– Scotland Yard est une police légendaire, rappela le Russe de sa belle voix profonde ; j'espère qu'elle se montrera à la hauteur de sa réputation. Comptez sur mon modeste témoignage pour contribuer à votre succès ; entrez, je vous en prie.

« Un prince russe qui aurait dû vivre au temps des tsars », pensa le superintendant, subjugué par l'allure aristocratique de ce personnage à la fois hautain et accueillant.

Soigneusement rasé, les sourcils taillés, les mains manucurées, fleurant bon une eau de Cologne haut de gamme, Waldemar Karnowski se déplaçait avec une certaine lenteur.

Son domaine était un hymne à l'ordre et à la propreté ; pas un grain de poussière, pas un vêtement abandonné, des dossiers impeccablement alignés, deux ordinateurs et un cadre en fer forgé, finement travaillé, contenant une photo montrant le Russe, chaudement vêtu, face à un ours blanc qui mordait l'extrémité de son traîneau et commençait à le tirer.

– Joli souvenir, commenta Karnowski ; je me trouvais au cœur de la banquise et je m'apprêtais à déguster quelques victuailles lorsque ce monstre, d'apparence pataude et pourtant si dangereux, est sorti du brouillard. Tout en étant préparé à ce genre de rencontre, je n'en menais pas large, et en cas d'attaque, je n'aurais eu aucune chance. Le destin me fut favorable, l'ours a beaucoup apprécié mon stock de viande et de poisson séché, et j'ai pris garde de ne pas le déranger quand il a traîné mon équipement afin de déjeuner tranquille. Je me suis éloigné, et retourner à mon camp de base ne fut pas une partie de plaisir, croyez-moi ! Sans un sens de l'orientation aiguisé au cours des expéditions, je serais mort gelé ; et ce ne fut pas ma seule aventure à la limite de la catastrophe. Mais je vous ennuie avec mes histoires…

– Pas du tout, objecta Higgins ; c'est un privilège de rencontrer un spécialiste du pôle Nord.

– Privilège un peu triste, étant donné les circonstances ; qui aurait supposé que cette semaine, cruciale pour l'avenir de notre planète, s'achèverait d'une façon aussi tragique ? Kathleen Silway était une scientifique hors norme, une personnalité exceptionnelle comme on en voit rarement, très rarement. D'ordinaire, les chapelles s'entre-déchirent et les spécialistes, si vous m'autorisez cette expression vulgaire, se tirent dans les pattes avec une seule obsession : obtenir des postes et des honneurs. Kathleen Silway, elle, ne se préoccupait que de son cher pôle Nord et n'ignorait rien à son propos ; elle lui offrait sa vie, il lui révélait ses trésors. « La dame du Pôle, sa grande prêtresse »… Elle méritait ces épithètes, et chacun reconnaissait ses compétences et sa souveraineté. Sa disparition me navre, à titre personnel ; mes émotions n'ont guère d'importance face au désastre provoqué par son absence. Le pôle Nord est devenu l'objet de sérieuses convoitises, et seule Kathleen Silway avait la capacité de les analyser, de les apprécier à leur juste mesure et d'opérer une synthèse. Hélas ! ni remplaçant ni remplaçante en vue. Puis-je vous proposer un doigt de vodka, messieurs, et un toast au caviar ? L'heure n'est pas aux réjouissances, mais se laisser aller n'est pas une solution ; je ne voyage jamais sans une boîte de béluga, et vos services m'ont procuré une bouteille de vodka convenable.

Higgins ne refusant pas cette légère collation, en cette rude journée d'hiver, Marlow fut heureux de reprendre des forces ; les Russes avaient parfois de bons côtés.

– Connaissiez-vous Kathleen Silway depuis longtemps ? demanda Higgins.

– Connaît-on jamais un être ? Au fil des congrès, nous avons échangé nos points de vue et confronté nos opinions ;

nous nous estimions, elle m'a accordé le privilège de me convoquer ici. Rigoureuse, passionnée, intransigeante, mystérieuse... Oui, mystérieuse. À mon avis, personne ne partageait ses pensées, personne ne l'influençait ; son indépendance était une sorte de miracle. Mystérieuse et fascinante... Elle savait conquérir les cœurs et ne livrait pas le sien.

— N'avait-elle pas d'ennemis ? s'étonna Scott Marlow.

Le Russe eut un étrange sourire.

— En réalité, superintendant, elle n'avait que des ennemis, moi compris ! On la craignait, on la respectait, mais comment ne pas détester quelqu'un dont l'avis prévaut toujours sur le vôtre ? En plus, elle n'en tirait même pas vanité ! Trop de qualités nuit, Kathleen Silway était l'illustration vivante de cette maxime. En réunissant à Londres, et en secret, un petit nombre de représentants d'États concernés pas l'avenir du pôle Nord, elle savait qu'elle affronterait de rudes adversaires déterminés à défendre bec et ongles leurs intérêts ; et certains entretiens ont dû être plutôt rudes.

— Fut-ce votre cas ? s'enquit Higgins.

— Non, inspecteur, car la courtoisie me paraît être l'élément-clé des joutes oratoires, fussent-elles acharnées ; et Kathleen Silway ne haussait pas le ton, préférant être attentive aux arguments de son interlocuteur. Cette attitude n'atténuait pas sa fermeté, au contraire, et bien des naïfs s'y sont trompés. Encore un doigt de vodka ?

Marlow accepta.

— La bonne marche de l'enquête implique une visite de votre appartement, indiqua l'ex-inspecteur-chef ; vous y opposez-vous ?

— Faites donc, mais tâchez de ne rien déranger ; j'ai horreur du désordre. Pendant ce temps, je prépare des toasts.

— Nous devons aussi examiner vos ordinateurs, ajouta le superintendant.

— Celui de gauche est rempli de données administratives, indiqua Karnowski, celui de droite est consacré à la géographie de l'Arctique. Par pitié, n'effacez rien !

— Soyez sans crainte.

À l'écran, une vue du Kremlin, accompagnée de caractères cyrilliques ; heureusement, le reste des textes était en anglais. Tandis que Marlow fouillait les entrailles des machines, Higgins se mit à fureter.

Le salon, le petit bureau et la chambre étaient des modèles de rangement et de propreté ; une vaste penderie abritait des vêtements luxueux, d'une qualité remarquable. Quant à la salle de bains, elle était remplie de produits de beauté et de nettoyage, impeccablement alignés sur les étagères ; parfums provenant des meilleures maisons, lotion de rasage au bois de rose, dentifrice aux algues, lessive biologique, savon au fiel de bœuf et autres petites merveilles nées de l'ingéniosité humaine et d'une efficacité appréciable. À l'évidence, Waldemar Karnowski recherchait le raffinement dans les moindres détails.

— Les toasts sont prêts, annonça-t-il ; vous me pardonnerez la qualité déplorable des assiettes et des couverts.

Higgins jeta un œil à la cuisine ; comme le reste de ce logement provisoire, elle ne souffrait d'aucune négligence et fleurait bon la menthe et le thym.

— Avez-vous eu plusieurs entretiens avec Mlle Silway ? demanda Higgins.

— Une dizaine, allant d'une vingtaine de minutes à une heure ; et nous avons tous été logés à la même enseigne : questions précises et critique immédiate des réponses floues ou incomplètes. Kathleen Silway connaissait à la perfection ses dossiers... et l'essentiel des nôtres !

– Aviez-vous une idée de ses conclusions ?

– Vraiment pas, et je les attendais avec impatience ! Elle n'affichait pas ses sentiments et ses préférences, mais nous ne pouvions être tous gagnants.

– Son rapport était-il terminé ?

Waldemar Karnowski sembla perplexe.

– Je l'ignore, inspecteur ; elle travaillait jour et nuit, mais a-t-elle eu le temps de rédiger ce texte capital ? Si tel n'était pas le cas, ce serait une catastrophe ! J'y pense… Scotland Yard le sait, puisque vous avez fouillé son domaine ! Alors, rassurez-moi, je vous prie.

– Désolé, je ne peux encore rien révéler.

– Les nécessités de l'enquête, je comprends… Souhaitons que ce rapport soit rapidement publié et que la communauté internationale adopte ses conclusions.

– Et si elles étaient contraires aux intérêts de la Russie ?

18

Pour la première fois, Waldemar Karnowski parut moins décontracté, comme s'il perdait un instant le contrôle de ses émotions.

— Ce serait fâcheux, inspecteur, extrêmement fâcheux, et mon gouvernement émettrait de vigoureuses protestations ; mais j'espère m'être montré convaincant et avoir développé de solides arguments.

— Le pôle Nord est un vaste sujet ; quelle est votre spécialité, monsieur Karnowski ?

— Le juridique, répondit le Russe, et ce n'est pas une sinécure ! La situation semble claire, si l'on considère les États frontaliers : États-Unis, Canada, Danemark à travers le Groenland, Norvège et Russie. La Chine se sentant concernée par la planète entière, elle a envoyé une émissaire ; quant à la France, qui se croit encore une puissance mondiale, elle n'a pas manqué d'utiliser mille et un organismes paragouvernementaux afin d'avoir une représentante aussi prétentieuse qu'incompétente, dressant l'étendard de l'écologie politique.

— La situation juridique du pôle Nord ne serait-elle pas claire ? s'étonna Higgins.

— C'est à la fois simple et tragique : elle n'existe pas. Faut-il vous accabler de détails ?

– N'auraient-ils pas provoqué l'assassinat de Kathleen Silway ?

Le Russe vida son verre de vodka.

– Vous avez peut-être raison, inspecteur, tant la situation est complexe ; il revient au Tribunal international de la Mer, sis à Hambourg, en Allemagne, de gérer les pôles en calculant à qui appartiennent les terres qui se trouvent sous l'eau, et tout dépend du mode de calcul ! Un exemple : les Canadiens utilisent de la dynamite et mesurent l'onde, technique que désapprouvent leurs concurrents. Second exemple : les Danois se fient à des bouées sonars, mais leur installation nécessite le passage du plus grand des brise-glaces, un navire russe, lequel ouvre le passage, aussitôt refermé, et détruit les bouées. Bref, impossible de s'entendre ; en 2008, les cinq pays côtiers, réunis au Groenland, se sont pourtant engagés « à prendre des mesures destinées à assurer la protection et la préservation du fragile environnement de l'Arctique ». Paroles, paroles ! De quoi éclater de rire, si l'enjeu n'était pas d'importance. Selon la convention des Nations Unies, relative au droit de la mer, un État côtier est autorisé à étendre sa juridiction sur le plateau continental, à savoir le prolongement des terres sous la surface de la mer, au-delà des 200 milles nautiques – 370 kilomètres – de sa zone économique reconnue comme telle. Point crucial : démontrer que ce secteur se situe effectivement dans son territoire… terrestre ! Et voilà le rôle déterminant des scientifiques ; je vous relate de mémoire la règle imposable : « D'après les géologues, le plateau continental est la partie faiblement immergée s'étendant de la côte jusqu'au talus continental et se caractérisant par une rupture de pente au-delà de laquelle commencent les bassins océaniques profonds. » Bel et bon ? Non, inapplicable ! Dans l'état actuel du droit international, aucun pays ne saurait se prétendre propriétaire du pôle Nord, et le débat risque de dégénérer en guerre ouverte, faute d'arbitrage international, puisque la géographie des fonds marins arctiques est mal connue.

– Et l'arbitrage, c'était à Kathleen Silway de l'incarner ?

– Exactement, inspecteur.

– Que réclamait la Russie, monsieur Karnowski ?

– La principale préoccupation de mon pays, c'est la dorsale de Lomonosov, une montagne qui s'étend sur 2 000 kilomètres au fond de l'océan Arctique. De notre point de vue, elle prolonge de manière incontestable le plateau continental russe et doit donc nous autoriser à annexer 1 million de kilomètres carrés. Nous ne nous sommes pas contentés de déclarations tonitruantes et, afin de prouver scientifiquement nos prétentions, deux bathyscaphes russes ont exploré ces profondeurs et planté notre drapeau en titane inoxydable à la verticale du pôle Nord, à 4 260 mètres de fond.

– Cet exploit a-t-il provoqué des réactions ?

– Le Canada et le Danemark revendiquent, à tort, la propriété de la dorsale de Lomonosov, et les États-Unis ont envoyé un brise-glace chargé de cartographier les fonds marins. Vaines prétentions ! Les experts français ont pris parti en notre faveur, indiquant que cette zone, il y a plusieurs dizaines de millions d'années, se rattachait au plateau continental sibérien ; la similitude des roches granitiques est incontestable.

– Néanmoins, objecta Higgins, le jeu de la tectonique des plaques offre des arguments non négligeables au Canada et au Danemark, et cette dorsale s'est éloignée de la Sibérie. Les Canadiens estiment qu'elle est liée à la plaque continentale de l'Amérique du Nord, et les Danois à celle du Groenland.

Le Russe peina à dissimuler sa stupéfaction.

– Vous êtes remarquablement informé, inspecteur ; seriez-vous un spécialiste inconnu du pôle Nord ?

– Un simple amateur qui assiste aux conférences de la Royal Geographic Society.

– Je m'élève fermement contre les analyses des Danois et des Canadiens ; Kathleen Silway avait eu le temps de constater leur inanité. Moi, je lui ai fourni des expertises incontestables ; la dorsale de Lomonosov est un trésor de l'éternelle Russie auquel elle ne renoncera jamais. Pas une obstination aveugle, inspecteur, mais une réalité géographique que nul ne saurait mettre en doute.

– Vos adversaires ne s'en sont pourtant pas privés, je suppose ?

– Probable, en effet, reconnut Waldemar Karnowski, mais seul le jugement de Kathleen Silway serait déterminant.

– Et vous ignoriez sa décision ?

– Malheureusement oui ! J'aurais aimé pénétrer dans son ordinateur ou dans sa tête afin de savoir ce qu'elle avait décidé.

– Que faisiez-vous lorsque l'alarme incendie s'est déclenchée ?

Le Russe réfléchit.

– Je relisais un dossier, et ce bruit strident m'a interrompu ; comme on nous avait exposé les consignes de sécurité, je suis sorti de ce modeste appartement pour attendre les secours dans le couloir sécurisé. Mes collègues se sont comportés de même, et nous n'avons pas remarqué tout de suite l'absence de Kathleen Silway. En réalité, a expliqué un vigile, il s'agissait d'une fausse alerte due à une défaillance technique. Hélas, quand le gradé autorisé à entrer chez votre compatriote en est ressorti, il était porteur d'une terrible nouvelle ; nous avons alors été assignés à résidence, sans pouvoir communiquer avec l'extérieur, en attendant les enquêteurs de Scotland Yard.

— Pendant ce rassemblement dans le couloir, pas d'incident notable ?

— Non, je n'ai rien noté d'insolite... Croyant d'abord au déclenchement d'un incendie, nous ne pensions qu'à notre sauvegarde ; ensuite, la nouvelle de la mort de Kathleen Silway nous a assommés. Et nous ne savions pas encore qu'elle avait été assassinée !

— Auriez-vous des soupçons, monsieur Karnowski ?

Le Russe se concentra.

— C'est une question délicate, inspecteur, très délicate.

19

— Acceptez-vous néanmoins de me livrer vos réflexions ?

Waldemar Karnowski semblait réticent.

— J'aimerais autant me taire.

— Pour quelles raisons ? demanda Higgins.

— Si je formule mes soupçons, vous me taxerez forcément de partialité.

— Parce qu'ils concernent vos concurrents danois et canadiens ?

Le Russe leva des yeux étonnés.

— On ne saurait rien vous cacher, inspecteur !

— Je dois identifier un assassin, toutes les informations peuvent être utiles.

— En ce cas… Je vais tâcher de me montrer objectif et d'éviter une animosité déplacée.

Le ton du juriste resta égal.

— Honneur aux dames : Mlle Batik n'est pas précisément le genre de femme que j'apprécie. Adepte d'une mode vulgaire, brouillonne, excentrique, irritable, séductrice invétérée, elle n'en passe pas moins pour une spécialiste de la préservation des semences, et le gouvernement russe ne s'est pas opposé à l'installation de son coffre-fort géant, à mille kilomètres environ du pôle Nord. Il n'a pas été payé de retour, car le comportement de cette Danoise à notre égard fut détestable et méprisant ; elle refusa notre catalogue de semences sous prétexte qu'il était de qualité médiocre et plaça la production russe sur liste d'attente. Vexées, les autorités ont déclenché une enquête à son sujet.

— Une enquête... légale ?

Le Russe eut un léger sourire.

— Le KGB, le meilleur service secret au monde d'où est issu le patron de la Russie, Vladimir Poutine, a changé de nom, mais son efficacité et sa discrétion demeurent ; et vos propres services de renseignements, qui nous accordent l'hospitalité, savent que la légalité est souvent affaire de circonstances.

Le superintendant aurait protesté s'il n'avait pas mis la main sur un indice troublant ; aussi préféra-t-il continuer son exploration en écoutant Karnowski d'une oreille.

— Mlle Sienna Batik n'est pas une oie blanche, reprit ce dernier, et gère sa vie privée à sa guise ; cependant, ses extravagances sexuelles finissent par lui troubler l'esprit, et sa conduite dissolue l'amène à commettre des fautes graves qui, tôt ou tard, l'enverront en prison.

— À ce point ? s'inquiéta Higgins.

— Jugez-en vous-même, inspecteur : nos services ont établi que, lors des transactions financières aboutissant à l'achat de semences, Sienna Batik détournait une partie de la somme et se servait de l'argent volé pour mener un grand train de vie. Aujourd'hui, elle veut transformer le pôle Nord en pseudo-réserve alimentaire destinée aux générations futures, et cherche surtout à s'enrichir ! De plus...

— De plus ?

Waldemar Karnowski hésita.

— Je n'en ai pas la preuve formelle, mais je suis persuadé que cette Danoise a tenté d'acheter Kathleen Silway en l'associant à son petit trafic, ce qui lui aurait permis d'emporter la partie. Profonde erreur, car votre compatriote était incorruptible ; et j'imagine la colère de Sienna Batik.

— Une colère… meurtrière ?

— Je n'irais pas jusque-là, inspecteur.

— Le Canadien Dough Miglet, lui, y serait-il allé et aurait-il été le complice, voire le bras armé de Sienna Batik ?

— Vous lisez dans mes pensées ! Et celles-là sont effroyables… et dépourvues de bases solides, à part mon aversion profonde à l'égard de Miglet. Il ne se contente pas de rechercher du pétrole et d'en promouvoir l'extraction, il est lui-même du pétrole, visqueux et malodorant ! Au meilleur de sa forme, il réussit à être plus vulgaire qu'un Américain. Pourtant, derrière ce masque, se cache un tout autre personnage ; sans les fiches de renseignement de nos services, je ne l'aurais jamais découvert.

— Ces fiches, les avez-vous transmises à Kathleen Silway ?

Waldemar Karnowski ressembla à un tsar indigné.

— J'ai accompli mon devoir, inspecteur ; me taire aurait été une forfaiture.

— Qui est donc le véritable Miglet ?

— Un Inuit, à savoir l'un des membres de la tribu habitant les solitudes glacées du Pôle, en compagnie des ours blancs et des phoques. Ils avaient leurs coutumes, s'adaptaient au climat, et vivaient à l'écart de ce que nous appelons le monde civilisé ; celui-ci les a rattrapés, et ils n'ont échappé ni au progrès, ni à l'alcool, ni aux vaccinations, ni à la société de consommation ; bref, les Inuits sont devenus des hommes modernes. Porte-parole des industries pétrolières décidées à conquérir le pôle Nord, Dough Miglet croyait supporter le déchirement entre son ancienne culture et le monde du profit ; il se trompait. Lui, l'Inuit naturalisé Canadien, n'a qu'une idée en tête : détruire ce qu'il n'a pas pu sauver. Quand le Pôle ne sera plus qu'une gigantesque succession de forages, la tradition sera totalement anéantie et l'oubli recouvrira les remords de Miglet. De son point de vue, cette pollution sera sa rédemption, et cette croisade suicidaire lui donne sa vraie raison de vivre.

— Triste destinée, estima Higgins.

— Le Pôle n'est pas gai, les Inuits pas davantage. Nous détruisons des races et des espèces en profitant de l'indifférence générale ; notre seule doctrine, inspecteur, consiste en un mot : croissance. Qui s'y oppose doit être éliminé.

— Triste monde, ne trouvez-vous pas ?

— Surtout stupide ! La bêtise est son tyran, et nul ne la conteste ; l'espèce humaine prolifère comme un cancer et se détruira elle-même. Un dernier doigt de vodka ?

Il fallait bien lutter contre la désespérance naturelle de l'âme russe et les longs mois d'hiver à traverser ; le breuvage, plutôt doux au gosier de Scott Marlow, lui conférait de l'allant.

— En avez-vous terminé, superintendant ? interrogea Karnowski.

— Merci de votre coopération.

— La littérature juridique n'est guère distrayante, mais elle régit quantité d'aspects de notre quotidien ; et j'espère qu'une législation adaptée au pôle Nord verra le jour. C'était l'un des objectifs de Kathleen Silway, et je souhaite que vous arrêtiez au plus vite son assassin ; ce prédateur nous prive d'une sorte de génie.

— Nous nous y employons, assura Higgins.

Waldemar Karnowski raccompagna les deux policiers jusqu'à sa porte.

Fidèle au poste, le sergent O'Connell terminait un chausson aux pommes.

– Pour le déjeuner, annonça-t-il, je vous propose un ragoût d'agneau et une ratatouille.

– Parfait, acquiesça Higgins ; je fais un point rapide avec le superintendant, puis vous nous donnerez accès à l'appartement de Mr. Garanke.

20

Higgins et Marlow s'isolèrent.

— L'ordinateur de Karnowski aurait-il parlé, superintendant ?

— Sur la liste des rendez-vous précédant sa venue à Londres, un détail m'a intrigué : « Black Hat, quatre jours. »
Black Hat... Ça me dit quelque chose, je vais joindre mon
bureau pour qu'on creuse.

— Je peux nous faire gagner du temps, mon cher
Marlow : la Black Hat et le Def Con sont les deux grands
rassemblements mondiaux consacrés à la piraterie informatique. Le premier s'est tenu récemment, en effet, à Las
Vegas, et comptait pas moins de six mille cinq cents participants, parmi lesquels les hackers les plus doués, ces
pirates généralement très jeunes. Ils ne sont ni seuls ni
condamnés ; une centaine d'entreprises américaines et des
officines de sécurité informatique tentent de les recruter en
leur proposant des contrats mirifiques ; mieux vaut avoir
les voleurs chez soi, estiment-elles. La vedette de ce dernier
festival, d'un genre assez particulier, n'avait que dix-neuf
ans ; en matière de *pentesting*, la méthode permettant de
briser les sécurités informatiques et d'attaquer un réseau à
partir d'une source dite « maligne », il n'a pas son pareil ;

et les multinationales se sont entre-déchirées afin d'utiliser ses dons.

Marlow était stupéfait.

— Mais enfin, Higgins… Je croyais que vous ignoriez tout de ce monde-là !

— L'informatique est devenue une arme criminelle, je suis contraint de m'y intéresser.

— Waldemar Karnowski, un hacker, constata le superintendant ; donc, il possédait les compétences pour pirater l'ordinateur de Kathleen Silway ! Et s'il s'était emparé du rapport ?

— Vous en auriez retrouvé la trace dans ses propres ordinateurs.

— Il m'y a donné accès trop facilement… S'il possède ce document, il aura choisi une meilleure cachette !

— Et cela prouverait qu'il est l'assassin.

Boucler l'enquête en si peu de temps… Marlow en rêvait !

— Interrogeons de nouveau ce gaillard, proposa le superintendant, et faisons-le avouer !

— Nous en arriverons peut-être là, concéda Higgins, mais voyons d'abord l'ensemble des suspects.

— Songeriez-vous à un complot ?

— À ce stade de nos investigations, n'excluons aucune hypothèse ; sans doute aurons-nous d'autres surprises.

*
* *

— C'est pour quoi ? demanda la voix éraillée d'un colosse chauve d'une soixantaine d'années, pesant une centaine de kilos, au visage creusé de rides profondes.

— Scotland Yard. Je suis le superintendant Marlow et je vous présente l'inspecteur Higgins.

Une bouteille de bourbon à la main et le regard vague, l'Américain Berny Garanke considéra les deux policiers avec intérêt.

— Les flics… C'est pas trop tôt ! Vous traînez les pieds, dans cette vieille Angleterre ! Chez moi, on réagit plus vite. L'Europe fout le camp, l'Amérique résiste encore, mais combien de temps ? À force de perdre des guerres, on encourage les minables à nous attaquer.

— Pouvons-nous entrer ? interrogea Higgins.

— Oui, allez-y ! Fouillez ma turne, vous gênez pas ; moi, je pique un roupillon. Quand vous aurez fini, réveillez-moi et soumettez-moi à la torture ; après ce que j'ai vécu au pôle Nord, ce sera une gâterie.

Berny Garanke se dirigea d'un pas lourd vers le canapé du petit salon et s'y étendit en fredonnant une mélodie du Kentucky qui se transforma en ronflements sonores.

Libres de leurs mouvements, les deux policiers se mirent au travail. Scott Marlow s'attaqua à l'ordinateur, Higgins explora les pièces composant l'appartement.

Partout, des photos de l'Américain en explorateur polaire, seul au cœur d'une tempête de neige, tirant un traîneau, plantant une tente, défiant un ours blanc, se pavanant au milieu de pingouins, construisant un igloo, brandissant la bannière étoilée, sans compter une dizaine de cartes très détaillées du pôle Nord. Même aux toilettes, Garanke contemplait sa région de prédilection. Un peu de désordre, quelques vêtements éparpillés ; l'Américain avait une belle collection d'anoraks à col de fourrure, de pantalons chauds et de bottes fourrées. L'assaut hivernal ne le prenait pas au dépourvu.

Produits de toilette ordinaires, pas une once de raffinement ; à la cuisine, des croissants et des saucisses qu'il aurait mieux valu éviter.

Son inspection terminée, Higgins toucha la main de l'Américain.

— Nous aimerions vous poser des questions, monsieur Garanke.

Le colosse entrouvrit les yeux.

— Des questions… À propos de quoi ?

— Du meurtre de Kathleen Silway.

Berny Garanke se redressa.

— Ah, la saloperie ! Non, pas elle, la mort… On a beau parler de « belle mort », c'est toujours une saloperie ! Je l'ai côtoyée cent fois au pôle Nord et ne l'ai jamais trouvée jolie.

L'Américain regarda sa bouteille.

— Elle est vide… Je vais me faire un café. Pour avoir un bourbon correct, ici, qu'est-ce qu'il faut râler ! Heureusement, c'est bientôt le retour aux *States*.

Higgins accompagna le colosse à la démarche lourde ; d'une main imprécise, il brancha sa cafetière et y plaça une capsule.

— Vous en voulez, inspecteur ?

— Non, sans façon.

— Moi, je bois trop… Trop de bourbon, trop de café, trop de tout. C'est ainsi, on ne me changera pas.

— Vous avez tenté de quitter les lieux de manière brutale, rappela Higgins.

— Et alors ? C'est normal, non ? Pourquoi on me retient prisonnier, comme un criminel ?

— Parce que vous comptez au nombre des suspects.

Garanke parut ébahi.

— Suspect… Suspect de quoi ?

— Du meurtre de Kathleen Silway, insista l'ex-inspecteur-chef, d'un ton égal.

— Vous perdez la boule, à Scotland Yard ! Moi, tuer la Silway ? Faudrait être givré ! Vous me direz, avec l'Arctique...

L'Américain rit de sa plaisanterie.

— Bon, trêve de rigolade ! Vous n'êtes pas sérieux, hein ?

— Désolé, monsieur Garanke ; tous les spécialistes convoqués par Mlle Silway et présents sur les lieux du crime sont effectivement suspects.

— Manquait plus que ça... En tout cas, moi, je fais mes valises !

— Vous les ferez, assura Higgins, mais peut-être pour vous rendre en prison.

Cette sinistre éventualité désarçonna le colosse ; dévisageant cet inspecteur à la petite moustache poivre et sel soigneusement lissée et au regard inquisiteur, il sentit qu'il ne parlait pas à la légère. Sa sérénité cachait une détermination redoutable que l'Américain avait rencontrée chez de rares aventuriers capables d'aller jusqu'au bout de leurs rêves.

— Vous êtes un sérieux, vous... Comment vous vous appelez, déjà ?

— Higgins.

— Par tous les ours du pôle Nord, je m'en souviendrai ! Vous avez poissé une belle quantité de salopards, non ?

— Il y a du vrai, reconnut Higgins.

— Bravo, inspecteur ! Les malfrats, il faut les cogner. Moi, j'ai pas mal de défauts, mais je n'ai tué personne. Notez, l'envie ne m'en a pas manqué ; un vieux fond de charité chrétienne m'en a empêché. Mon père était pasteur, ça déteint.

— Kathleen Silway était-elle une ennemie à abattre ?

L'Américain se brûla en versant le contenu de sa capsule dans une petite tasse.

— Ces machines et moi, on ne se supporte pas ! Je laisse tomber et je reviens aux vieilles méthodes. Un café chaud, sur la banquise, je vous raconte pas... On en oublierait les filles !

— Kathleen Silway était une fort jolie femme.

— Vous ne lâchez pas la grappe, inspecteur ! La Silway, une ennemie... Plutôt une casse-pieds. Vous souhaitez que je vous parle d'elle, hein ?

— Vous m'obligeriez, monsieur Garanke.

Le colosse but sa tasse de café.

— Ignoble ! Et je n'ai plus rien à boire.

Tel un magicien, Higgins fit apparaître une flasque en argent.

— Goûtez à ceci.

L'ex-inspecteur-chef remplit la tasse d'un liquide ambré à la senteur puissante ; Berny Garanke y trempa les lèvres.

— Bon Dieu, c'est fabuleux ! Jamais bu un whisky pareil.

— Du Royal Salute, indiqua Higgins.

— Si vous acceptez de m'en offrir une seconde larme, inspecteur, je me sentirai contraint de répondre à toutes vos questions.

21

– Kathleen Silway, murmura l'Américain en savourant le nectar, une sacrée bonne femme ! Bon, d'accord, pour moi, ce n'était qu'une touriste du Pôle, pas une exploratrice, mais elle en connaissait quand même un rayon sur la région. Une intello brillante, hyperinformée et très secrète. Impossible de savoir ce qu'elle avait dans la caboche !

– Comme vos collègues, vous avez accepté son invitation et vous reconnaissiez son autorité.

– Bien obligé, à cause de ce foutu rapport qui devait décider de l'avenir du pôle Nord ! Ne pas venir aurait été un suicide, et je voulais défendre mon bifteck.

– Quelle est votre spécialité, monsieur Garanke ? demanda Higgins.

Connaissant un moment de plénitude grâce au Royal Salute, le colosse se cala sur sa chaise et garda les yeux mi-clos, ses pensées se perdant au sein du continent glacé qu'il avait sillonné en tous sens.

– Les nouvelles routes commerciales, inspecteur ; vous n'imaginez pas le bouleversement qui se prépare ! En raison de la dislocation de la banquise et de la fonte des glaces, l'Arctique change de visage ; demain, ce ne sera plus un territoire isolé et un obstacle infranchissable. La bagarre pour les ressources naturelles ne tardera pas à faire rage, mais il n'y a pas que ça ; c'est toute l'économie mondiale du transport qui est en jeu. Pendant plusieurs mois de l'année, dorénavant, la route maritime du Nord sera ouverte, tant vers l'ouest que vers l'est ; résultat : un gigantesque raccourci, des milliers de kilomètres économisés entre l'Atlantique et l'Asie ! Un simple exemple : au lieu d'emprunter le canal de Panama, un bateau se rendant de l'Angleterre au Japon gagnera pas moins de quinze jours en passant par la nouvelle route du Pôle. Fabuleux, non ? Et des montagnes de dollars en perspective !

— À condition que les États-Unis contrôlent ces voies de navigation, estima Higgins.

— Ça, c'est mon job ! Et quand Berny Garanke met le paquet, les *States* gagnent.

— Votre position ne suscite-t-elle pas des controverses ?

— Y a toujours des râleurs, à commencer par Dough Miglet ! Le Canada prétend que la voie maritime du Nord-Ouest appartient à ses eaux intérieures et qu'il peut y exercer sa souveraineté en empochant le pognon… Tu parles ! Moi, je prêche une totale liberté de circulation.

— Sous protection américaine, bien entendu ?

— Ça va sans dire, inspecteur.

— Et c'était à Kathleen Silway de trancher ?

— Affirmatif.

— Tâche délicate, ne trouvez-vous pas ?

— La fille avait du caractère et ne se laissait pas marcher sur les pieds.

— Pensez-vous l'avoir convaincue ?

— Je vous le répète, elle était très secrète ; impossible de déchiffrer ses intentions.

— Et ce fameux rapport, en avez-vous eu connaissance ?

Berny Garanke ouvrit des yeux étonnés.

— Je ne sais même pas si elle l'avait rédigé !

— Le mobile du crime paraît établi, avança Higgins : l'un des spécialistes a eu vent des décisions défavorables de Kathleen Silway le concernant et l'a supprimée afin de l'empêcher définitivement de parler et d'écrire.

— Ce serait dingue !

— Certes pas, monsieur Garanke, étant donné l'énormité des enjeux.

L'Américain se renfrogna.

— À force de jouer avec le feu, ce crétin de Canadien a peut-être eu de sérieux soucis... Il aurait mieux fait de m'écouter.

— Pourriez-vous être plus clair ?

— Cette histoire avec la Chinoise que je retrouve ici... Je lui avais pourtant recommandé de ne pas s'en approcher ! Les Asiatiques, on ne les comprend pas, ils finissent toujours par nous avoir. Regardez, au Viêtnam... Mais Dough et les femmes, c'est une épopée ! Il ne sait pas résister. Quand il l'a rencontrée, à une compétition de karaté à laquelle il assistait, il est tombé amoureux. C'était la vingtième femme de sa vie. Moi, j'ai senti l'embrouille ; une sportive qui s'intéresse au pétrole et à l'exploitation du pôle Nord, et croisant par hasard le chemin d'un spécialiste, c'est bizarre, non ?

— Dough Miglet et Li Wan sont donc devenus des intimes ?

— Ils n'en ont pas eu le temps, inspecteur ! Une saloperie d'accident de voiture : Dough s'en est sorti indemne, pas la Chinoise. Des fractures, un genou en miettes et la fin de sa carrière sportive. En apparence, elle ne lui a pas pardonné ; mais si son gouvernement lui a ordonné d'enfumer le Canadien et de le manipuler, cet abruti a couru à quatre pattes.

— Allons jusqu'au fond de votre pensée, proposa Higgins ; Li Wan a repéré Dough Miglet, connaissait ses faiblesses et a rempli sa mission d'espionnage au service du gouvernement chinois.

— En doutiez-vous, inspecteur ?

— Si telle est la vérité, pourquoi Mlle Li Wan a-t-elle été admise dans ce bâtiment des services secrets britanniques pour participer à cette semaine décisive ?

— Parce que l'Angleterre baisse son froc devant la Chine, comme tout le monde ! s'exclama Berny Garanke dont le visage se teinta de rouge. Mon propre pays me débecte parfois, tant ses dirigeants sont nuls et lâches. Moi, sur le pôle Nord, je ne céderai pas d'un pouce ! Après, que décideront les gugusses de Washington ? Au cas où le rapport de Silway m'aurait désavoué, peut-être auraient-ils vendu l'Arctique à la Chine afin de gagner les élections ! Le purin sent meilleur que la politique, inspecteur, et l'esprit pionnier est en berne. Les Chinois, eux, ont décidé de conquérir le monde, et se fichent de nos hypocrisies démocratiques ; ils achètent et ils vendent, persuadés d'être déjà au top. Et ils ne s'encombrent pas de débats moraux avant d'éliminer les obstacles.

— Accusez-vous Li Wan d'avoir assassiné Kathleen Silway ?

Berny Garanke absorba la dernière goutte de Royal Salute.

— Qu'est-ce que j'en sais ? Ces zigotos sont capables du pire, mais je n'ai pas de preuve. En tout cas, la Chine ne renoncera à aucune des richesses de la planète, indispensables à son expansion économique ; à sa place, j'agirais de la même façon. Les États-Unis ne s'attendaient pas à

l'émergence d'un tel adversaire, et nos chefs sont tétanisés ;
à moi de les convaincre de sauver le pôle Nord.

Le regard du colosse chavira.

– Le pôle Nord, l'Arctique, la banquise… Une drogue,
inspecteur, une véritable drogue ! Si je vous racontais…

– Je vous en prie, monsieur Garanke.

22

Berny Garanke regarda au loin, comme s'il s'évadait de ce bunker afin de rejoindre son véritable pays.

– Je me revois filant à ski sur des étendues infinies, confessa-t-il ; parfois, les bourrasques de vent glacé étaient si violentes qu'elles m'immobilisaient et, même, me repoussaient ! Ah, ce vent… Ou l'on devient son allié, ou l'on meurt. Avec les tempêtes de neige, c'est pareil ; lutter, paniquer, et on crève ; se fondre en elles, accepter leur violence, grelotter en jurant que l'on conservera un minimum de chaleur, avoir la force d'accomplir le pas supplémentaire… Bon Dieu, c'est géant ! Des émotions semblables, on n'en vit que là. La plus belle, c'est le moment inespéré où la grisaille se dissipe d'un coup ; alors, la couleur bleu acier envahit tout, les portes d'un paradis s'ouvrent. La vie devient claire, immaculée, à l'abri de la médiocrité humaine… Si Dieu existe, il réside au pôle Nord.

Pendant un voyage à l'extrémité du monde, Higgins avait vécu cette sorte de miracle ; il se garda d'en parler à l'Américain, attendant qu'il revînt à la réalité présente.

– Je n'ai qu'une envie, avoua Berny Garanke : retourner là-bas.

– Lors de vos expéditions, vous dirigiez une équipe ?

– Et comment ! J'étais un authentique tyran, mes subordonnés m'appelaient Saddam. Avec moi, pas de pitié ; ou ça passait, ou ça cassait. Pas de poules mouillées et de fesses étroites ; les mots d'ordre : discipline absolue, obéissance totale au chef, condition physique parfaite, pas de mou dans la cervelle. Méthode simple : à - 15°, on s'entraîne sans vêtements chauds, sans gants, sans bonnet et en short, et les frileux dégagent. Ensuite, on attaquait les choses sérieuses en apprenant à manier les gros traîneaux chargés de matériel. À chacun de vérifier ses polaires, ses sacs de couchage et ses bottes ; les négligents avaient peu de chances de survie. Et mes gars devaient avoir le cœur bien accroché ; en cas de nécessité, il fallait dépecer des phoques pour survivre. Les splendeurs du Grand Nord, ça se mérite. Des types qui me détestent, ils doivent être une légion ! J'ai aussi de bons potes, prêts à mourir à mes côtés. Et on n'a pas fini d'arpenter les glaces ; ça me fera oublier les agissements des pourritures résidant ici.

– Le terme est appuyé, observa Higgins.

– Et justifié !

– Qui visez-vous ?

– Il paraît que la guerre froide entre nous et les Russkofs est terminée ; face à la trombine de ce Karnowski, j'en doute ! Le pays des tsars ne changera jamais : conquérir un maximum de terres, à commencer par le pôle Nord. Vous avez vu l'allure de ce type ? À tous les coups, c'est un militaire chargé de me contrer ! La loi qu'il pratique, c'est celle de la Russie. Ce cosaque-là, je le sens prêt à tout pour remplir sa mission.

– Même à supprimer Kathleen Silway ?

– Karnowski, je ne le sens pas.

– Comme acte d'accusation, n'est-ce pas un peu court ?

– D'accord, je n'ai pas de preuves, mais je suis mon instinct ! Si l'on veut survivre au Pôle, c'est la meilleure technique. Évidemment, Karnowski n'est pas la seule piste ; quand je pense aux deux autres et à leur petit complot... Et là, c'est un fait !

– Quels sont les comploteurs ? demanda Higgins.

– Ça crève les yeux : le Norvégien et la Danoise. Ces deux-là se sont associés depuis quelques mois afin d'imposer leurs prétentions à Silway et de se partager le pôle Nord entre pays nordiques. Sigur Barjeson, le Norvégien, est un type dur, dépourvu de scrupules, et très influent ; cette traînée de Sienna Batik lui a couru après et a fini par le rattraper ! Maintenant, ils couchent ensemble, se sentent invincibles et se répartissent déjà les territoires.

– Avec la bénédiction de Kathleen Silway ?

– Sûrement pas ! Ils ont tenté de l'influencer, mais cette British était une vraie tête de bois. Comme je vous l'ai dit, personne n'arrivait à la manipuler et personne ne connaissait ses futures décisions. Moi, ça me faisait enrager ! D'habitude, on repère un point faible et on l'utilise ; la Silway, elle n'en avait pas. En rédigeant ce rapport et en prononçant son discours, elle serait devenue une sacrée vedette ! Le pire, c'est qu'on l'aurait écoutée.

– Pourquoi « le pire », s'étonna l'ex-inspecteur-chef ; auriez-vous réussi à savoir qu'elle désapprouverait votre projet de nouvelles routes commerciales ?

Le colosse vacilla, sa chaise tangua, il préféra se mettre debout et s'appuyer à la table de la cuisine.

– Non, bien sûr que non ! J'ai dit ça à la louche, sans penser à mal... Et puis voir Silway s'ériger en autorité suprême, reconnue par les instances internationales, ça ne plaît pas forcément à tout le monde !

— Les déçus n'auraient-ils pas protesté vigoureusement ?

— Vous pouvez le parier, inspecteur ! L'ennui, c'est que ce fichu rapport aurait été là, et bien là, et que même les pays les plus puissants, style États-Unis, Russie ou Chine, n'auraient pas pu le balayer d'un revers de main. Les perdants en auraient bavé. Les conventions internationales, on les piétine souvent, mais ce coup-là risquait d'être rude, à cause de la personnalité de Silway.

— À quoi vous occupiez-vous au moment de l'alerte incendie ? demanda Higgins.

Berny Garanke se tâta le menton.

— C'est drôle, je ne m'en souviens pas. Je rêvassais, je regardais les photos de mes expéditions, je buvais du bourbon… Enfin, rien d'important. La sonnerie a retenti, j'ai ouvert ma porte et attendu les bonshommes de la sécurité.

— Auriez-vous remarqué un détail insolite ?

L'Américain réfléchit longuement.

— Non, rien… On était tous rassemblés, pas trop inquiets, il n'y avait pas de fumée, on nous a annoncé que c'était une fausse alerte. Manquait Silway ; le patron des vigiles est entré dans son appartement et nous a appris la nouvelle.

Garanke et Higgins rejoignirent le salon ; Marlow terminait l'exploration de l'ordinateur. D'un regard, il fit comprendre à l'ex-inspecteur-chef qu'il n'avait pas trouvé d'indices.

— Merci de votre collaboration, monsieur Garanke.

— Je peux boucler mes valises ?

— Désolé, je vous demande un peu de patience.

— Alors, grouillez-vous d'arrêter l'assassin ! Moi, je n'ai pas envie de croupir ici.

Le superintendant n'apprécia pas le comportement de l'Américain, qu'il jugea aussi suspect que le Russe ; il avait beaucoup à perdre, et la disparition brutale de la scientifique britannique ne l'attristait guère.

Le sergent O'Connell attendait les deux policiers.

— Messieurs, le déjeuner est prêt ; il est temps de vous requinquer.

23

Le ragoût d'agneau et la ratatouille, sans atteindre des sommets, étaient consommables ; une solide bière brune faciliterait la digestion. Écoutant les conseils de Mary, Scott Marlow s'offrit en dessert un cocktail de miels ; ses explorations informatiques l'avaient épuisé et, avant de poursuivre les interrogatoires, il lui fallait remonter son niveau d'énergie.

— Ça avance ? interrogea le sergent O'Connell.

— Nous n'avons pas encore une vision d'ensemble, répondit Higgins, et nous attendons les rapports du légiste et des experts.

— Faut espérer que la technique moderne vous fournira le nom de l'assassin... Tuer une belle femme comme Kathleen Silway, c'est vraiment pas bien.

— Avec un peu de recul, sergent, sur qui se porteraient vos soupçons ?

— La Chinoise est une tordue, la Danoise une aguicheuse, le Russe un prétentieux, l'Américain un ours polaire, le Canadien un bulldozer, le Norvégien une lame de couteau... La pire, c'est la Française ! Mais l'accuser de meurtre... Je suis perdu, inspecteur ! Ces gens-là me déroutent.

— Pas de nouvel incident ? questionna Marlow.

– Ils se sont tous tenus tranquilles et chacun déjeune dans sa chambre ; on peut pas dire qu'ils aient envie de se voir ! Une petite prune pour finir ?

Le superintendant se laissa tenter, Higgins tailla son crayon ; le carnet noir commençait à se remplir.

– Je vous sers le café, annonça O'Connell ; à qui le tour, inspecteur ?

– Le Canadien, Dough Miglet.

*
* *

La cinquantaine, trapu, la tête carrée, rougeaud, les yeux enfoncés dans leurs orbites, un anneau à l'oreille gauche, des mains puissantes, Miglet n'avait pas l'air commode.

Figé sur le seuil, il dévisagea les deux policiers.

– Scotland Yard ?

– Superintendant Marlow et inspecteur Higgins.

– C'est quoi le protocole ? Fouille de mon appartement et interrogatoire serré ?

Higgins eut une expression rassurante.

– Vous êtes proche de la vérité.

– Vous me soupçonnez, moi, d'avoir tué Kathleen Silway ?

– Pour le moment, précisa Marlow, nous recueillons votre témoignage ; en fonction de vos déclarations, nous aviserons.

Le regard du Canadien se durcit.

– On ne joue pas au plus fin avec Dough Miglet ; si vous avez des cartes contre moi, abattez-les.

Scott Marlow affronta l'adversaire.

– Mon collègue va fouiller votre appartement, et moi vos ordinateurs. Vous, vous vous asseyez sur le canapé.

— Je ne suis pas obligé d'obéir !

— Pourquoi avez-vous tenté de vous enfuir, monsieur Miglet ? demanda Higgins.

— M'enfuir, m'enfuir… Vous avez de ces mots ! Je voulais juste sortir de ce bunker et rentrer chez moi.

— Une attitude suspecte, jugea Marlow.

— Oh là, oh là ! On va où ?

— Vers la vérité, affirma le superintendant, sculptural.

Le Canadien se calma.

— Bon, on repart à zéro ; puisque je n'ai strictement rien à me reprocher, j'accepte de collaborer. Entrez, messieurs.

Le logement de Dough Miglet avait été transformé en un vaste bureau encombré d'une multitude de dossiers techniques consacrés à l'industrie pétrolière, de rapports géologiques et de cartes de l'Arctique. Les écrans de deux ordinateurs affichaient des listes de chiffres.

— L'évolution des prix du pétrole, commenta le Canadien ; ça vous intéresse ?

— Quand un crime a été commis, énonça Marlow, tout nous intéresse.

Alors que le superintendant s'asseyait face aux machines, Higgins inspecta les lieux ; cuisine, salle de bains et chambre étaient, elles aussi, des réceptacles de documents, à l'exception d'un jeu d'échecs électronique.

— À mon avis, avança Higgins, votre reine est en danger.

Le Canadien observa la situation.

— Exact, inspecteur ; j'étais au bord de la catastrophe.

— Peut-être à la suite de votre malaise ?

— Ce n'est pas faux… Un abus de cognac. Je suis comme un fauve en cage, ici ! Moi, je n'aime que les grands espaces, et cette prison me tape sur les nerfs. Tout ça à cause de cette sale histoire…

— Sans doute évoquez-vous l'assassinat de Kathleen Silway ?

— Ça me fout en rogne ! Ces satanées auditions étaient terminées, elle n'avait plus qu'à rédiger son maudit rapport, et en avant la bagarre !

— Si je comprends bien, vous ne l'aviez pas convaincue, et elle s'apprêtait à combattre officiellement vos projets.

— On n'en saura jamais rien, puisqu'elle n'a pas eu le temps de rédiger son chef-d'œuvre et qu'elle n'ouvrira plus son crachoir !

— À vous entendre, vous n'étiez pas en excellents termes.

D'un pas brutal, Dough Miglet se rendit à la cuisine et en ressortit porteur d'une bouteille de cognac et de trois verres. D'autorité, il les remplit, vida le sien cul sec, se resservit et s'assit sur le canapé, les jambes croisées.

— L'ennui, c'est que Silway était incontournable ! Une femme n'aurait pas dû avoir une telle influence. Comment pouvait-elle comprendre l'importance des enjeux ?

— Elle recueillait précisément des informations, rappela Higgins, et je suppose que vous n'en avez pas été avare.

— Soyez-en certain, inspecteur ! Mais qu'en aurait-elle fait ? Cette pimbêche était un véritable sphinx ; impossible de déchiffrer ses pensées et ses intentions.

— Au fond, sa disparition vous arrange.

Le Canadien n'évita pas le regard de Higgins.

— Eh bien oui, ça m'arrange ! Pas de rapport, pas de discours, pas d'emmerdes ! Le pétrole est une affaire sérieuse, très sérieuse, et je n'avais pas envie qu'une scientifique à la langue trop bien pendue me casse ma baraque.

— Êtes-vous conscient, monsieur Miglet, de la gravité de vos déclarations ?

24

— Je dis ce que j'ai à dire, confirma Dough Miglet, et ça m'évite de m'emmêler les pinceaux ! Je suis un type direct, inspecteur, et j'ai l'habitude de rentrer dans le lard. La castagne, ça me connaît ! Mais je n'ai tué personne. Et si le rapport de Silway avait été défavorable au Canada et à l'industrie pétrolière, j'aurais tenté de le démolir.

Le Canadien s'offrit une lampée de cognac.

— Dites donc, inspecteur... Vous notez tout ce que je raconte ?

— J'ai une mauvaise mémoire et je tiens à ne pas déformer vos paroles ; elles contribueront certainement à l'établissement de la vérité.

— La vérité, s'exclama Miglet, c'est le pétrole ! Le monde entier en a besoin, et l'avenir s'annonce riant ; on s'est enfin attaqués aux zones désertiques du Nord-Est de l'Alaska où prolifèrent les caribous, les oies sauvages et autres bestioles ; ce ne sont pas eux qui vont nourrir les milliards d'humains. Nous avons transformé l'endroit en réserve nationale de pétrole et de gaz, et nous boosterons notre économie ! Mais ça ne suffira pas ; l'eldorado, c'est le pôle Nord ! Heureusement, on réchauffe notre vieille terre, et les gisements de pétrole deviennent accessibles grâce à la fonte des glaces ; inutile de vous dire que les grandes compagnies pétrolières sont prêtes à s'entre-tuer pour récolter le magot ! Obtenir les droits de forage ne se fera pas en douceur. À mon avis, et d'après les meilleures expertises, le continent arctique abrite un quart de la quantité mondiale d'hydrocarbures disponible ; de quoi avoir la tête qui tourne, non ? Et le Canada ne se laissera pas manger la laine sur le dos ! Au moins cent milliards de barils de pétrole, cinquante milliards de mètres cubes de gaz naturel, quarante-cinq milliards de barils de gaz naturel liquéfié… Et je ne vous parle pas des multiples richesses du Pôle : or, uranium, cuivre, fer, étain, nickel, argent, zinc, tungstène ! L'océan Arctique est un véritable coffre-fort que j'ai décidé d'ouvrir. Et ce n'est pas un boulot d'amateur ; j'utilise des navires bourrés de géologues, de géophysiciens, de cartographes, de chimistes et d'une pléiade de grosses têtes. Foi de Miglet, le drapeau canadien flottera au-dessus du pôle Nord !

— Vous n'êtes pas le seul concurrent, objecta Higgins.

Le visage de Miglet s'assombrit.

— Quand il y a une montagne de dollars à l'horizon, les Américains ne sont jamais loin… Et mon ex-copain Berny n'a pas manqué de me tirer dans le dos ! Pourtant, on s'entendait bien, on se soûlait ensemble et on partageait les filles ; et puis ce fut la catastrophe. Il ne s'en est pas remis et a commencé à débloquer.

— Pourriez-vous m'éclairer, monsieur Miglet ?

Le Canadien soupira.

— La vocation de Berny Garanke, c'est l'exploration du pôle Nord ; et son rêve, c'était de le traverser de la Sibérie à l'Alaska en moins de cent jours et en solitaire. Près de deux mille kilomètres, et pas une promenade de santé ! Un truc de fou, mais il en était capable et aurait acquis une célébrité mondiale. Berny disposait de vêtements adéquats, d'un bateau gonflable et d'un traîneau chargé de petit matériel et de trois mois de nourriture. Avec son instinct de fauve, il ne craignait ni le froid ni le vent ; il n'a pas douté une seconde de son succès.

— Pourquoi a-t-il échoué ? demanda Higgins.

Dough Miglet contempla son verre vide.

— Une partie de l'équipement était pourrie, le traîneau n'a pas tenu le choc ; Berny a dû déclencher sa balise de détresse, un hélico l'a récupéré. La honte absolue ! J'ai cru qu'il allait se flinguer ; après une longue absence, il est réapparu. Son gouvernement lui avait confié la mission de s'accaparer les futures voies commerciales du pôle Nord. Mais ce n'était plus le même homme ; son rêve brisé, il est devenu impitoyable et cynique. Et il se retrouvait face à Kathleen Silway… Un vrai cauchemar !

Higgins fut intrigué.

— Avait-il des reproches précis à lui adresser ?

Le Canadien eut un drôle de sourire.

— C'est elle qui lui avait conseillé d'utiliser un nouveau matériel, fruit des dernières innovations technologiques. À cause de Silway, sa carrière d'explorateur était définitivement terminée ; moi, à sa place, je lui aurais peut-être tordu le cou.

— Accuseriez-vous Berny Garanke de meurtre ? avança l'ex-inspecteur-chef.

— Il a eu le tort de faire confiance, on l'a envoyé en enfer. S'il s'est vengé, je peux le comprendre.

Higgins feuilleta son carnet noir.

— N'avez-vous pas été surpris, monsieur Miglet, de retrouver ici une personne qui doit vous haïr ?

Le Canadien sursauta.

— C'est quoi, cette histoire ?

— Voyons, monsieur Miglet…

Le Canadien remit en place une mèche rebelle.

— Il vous a balancé l'accident, c'est ça ? OK, il a bien eu lieu, et je ne suis pas complètement innocent, mais le type qui a percuté ma voiture était bourré et je n'ai pas pu l'éviter. Le genou de ma copine chinoise a explosé, et notre aventure s'est terminée à l'hôpital. Qu'elle ne veuille pas me revoir, je l'ai admis ; le destin en a décidé autrement.

— Avez-vous eu l'occasion de converser ?

— On s'est soigneusement évités. Li Wan, émissaire de la Chine ; Berny Garanke, des États-Unis : ils ont mal tourné, l'un et l'autre, et je ne les reconnais plus.

— Sienna Batik, elle, vous a reconnu au bar d'un hôtel de Copenhague.

— C'est pas possible… Elle a osé vous raconter ça ?

— J'aimerais connaître votre version des événements, suggéra Higgins.

— Rien d'extraordinaire, inspecteur ! Une énorme journée de travail, des conférences à périr d'ennui, des colloques où des crétins diplômés vous assènent leurs vérités toutes faites, des commissions inutiles… Tard dans la nuit, vous avez forcément envie de boire un coup, voire deux ou trois. Et voilà qu'apparaît une minette au décolleté plongeant et visiblement en manque d'affection ; la galanterie vous commande de ne pas abandonner une femme en détresse, et j'ai donc proposé à ma collègue danoise un peu de réconfort. Vous me comprenez, inspecteur ?

— J'essaye, monsieur Miglet.

— Mon dévouement a été mal accueilli ! Au lieu d'accepter mon invitation, elle m'a jeté à la figure le contenu de son verre et s'est enfuie avec des airs de pucelle outragée. Ah, les femmes…

— Auparavant, n'auriez-vous pas évoqué votre principal projet d'avenir ?

Le Canadien parut étonné.

— La délicieuse Sienna Batik ne connaît pas le monde du pétrole !

— Et celui des diamants ?

— Les diamants… Quels diamants ?

— Ceux qui sont cachés sous les glaces du pôle Nord et que vous escomptiez vous accaparer, d'après elle, de manière clandestine, afin de vous enrichir.

Dough Miglet se tapa sur les cuisses.

— Ça, c'est du Batik tout craché ! Cette fille est folle de son corps et folle tout court. Des diamants au pôle Nord ? Pure hypothèse ! Et je n'ai pas besoin d'argent, croyez-moi ; mon job m'en rapporte assez.

— Pure hypothèse ou éventualité sérieuse ?

— J'ai une meilleure piste : des astronomes ont localisé une planète en carbone cristallin, à l'extérieur du système solaire. Imaginez un gigantesque diamant, environ à quatre mille années-lumière ! Beaucoup plus intéressant que le pôle Nord.

De l'index, le Canadien caressa le rebord de son verre vide.

— Si cette chère Batik ne vous avait pas raconté des sornettes, inspecteur, je serais resté discret ; mais quand on déclenche le combat, je rends coup pour coup. Alors, la vie sentimentale de cette Danoise, je m'en moque… Sauf lorsqu'elle dérape ! Sienna Batik ne se contente pas des hommes, elle apprécie aussi les femmes, et particulièrement la Française Amandine Delafoy, sa maîtresse du moment ; entre elles, il n'y a pas que les sentiments ! Ces dames adorent l'argent et s'entendent à merveille en détournant de belles sommes au nom des idéaux écologiques ; tôt ou tard, quelqu'un s'en apercevra et les enverra en prison.

— Pourquoi pas vous ? demanda Higgins.

— Je n'ai pas de temps à perdre avec ces harpies et je leur souhaite un maximum d'ennuis. Si on pouvait interdire aux femmes de se mêler des affaires sérieuses, le monde marcherait mieux.

Higgins tourna une page de son carnet noir.

— Le Canada n'est pas votre pays d'origine, me semble-t-il.

Furibond, Dough Miglet se leva.

— Qu'est-ce que vous insinuez ?

— Selon Waldemar Karnowski, vous êtes un Inuit, un homme du pôle Nord.

25

Scott Marlow se demanda si Dough Miglet n'allait pas se précipiter sur Higgins et lui fracasser le crâne de ses deux poings, tant la colère empourpra son visage.

Les dents serrées, l'œil mauvais, il peinait à contenir sa fureur ; le calme de l'ex-inspecteur-chef l'apaisa, il préféra se rasseoir.

— Un Inuit… Oui, je l'ai été ; maintenant, je possède la nationalité canadienne et je travaille pour la prospérité de ce pays. Même s'ils ont l'air vivants, les Inuits sont morts, leurs traditions ont disparu, avalées par le monde moderne ; et les débris qui en restent doivent être détruits. Je déteste la nostalgie et les nostalgiques, ils nous empêchent de progresser. Puisque les Inuits ont été incapables de résister aux envahisseurs, ils ne méritent pas de survivre ; et j'espère leur porter un coup fatal.

— Où êtes-vous né, monsieur Miglet ?

— Au Kugluktut, un territoire inuit du Nunavut ; c'était un univers sauvage, hostile, inhumain ; pourtant, mes ancêtres avaient réussi à l'apprivoiser, au prix de mille souffrances. Aujourd'hui, ils regardent des documentaires sur leur passé et boivent de mauvais alcools, avachis devant leur télévision. Ma seule patrie, à présent, c'est le pétrole.

Miglet paraissait accablé ; à l'évidence, sa nouvelle vie ne lui donnait pas entière satisfaction.

— Avant d'entendre l'alarme incendie, lui demanda Higgins, que faisiez-vous ?

Le Canadien serra son verre vide entre ses paumes.

— C'est idiot à dire, mais je me suis assoupi. Ce son strident m'a réveillé, et j'ai d'abord cru que c'était mon réveil ; j'ai regardé ma montre et compris qu'un incident grave se produisait. Je suis sorti de mon appartement, les autres étaient déjà dans le couloir.

— Tous les autres ?

— Non, il manquait Silway ; quelqu'un m'a parlé de fausse alerte, ça râlait ferme, un vigile a ouvert la porte de votre compatriote et nous a annoncé sa mort. Nous étions stupéfaits.

— Avez-vous remarqué quelque chose d'anormal ?

Dough Miglet sembla troublé.

— D'anormal… Non, je ne vois pas.

— Réfléchissez bien, je vous prie.

Le Canadien baissa la tête et revécut ces moments tragiques.

— On était assommés, inspecteur, moi le premier ; Kathleen Silway morte… C'était surprenant, non ? Le chef des vigiles nous a ordonné de regagner nos appartements et d'attendre la police.

Scott Marlow avait terminé ses investigations ; un signe négatif de la tête indiqua à Higgins qu'il n'avait rien trouvé d'intéressant.

— À bientôt, monsieur Miglet, dit Higgins.

— Comment, à bientôt ? J'espérais que vous me donneriez un bon de sortie !

— Désolé, il demeure des zones d'ombre à éclaircir.

– Alors, dépêchez-vous ! Moi, je n'en peux plus d'être enfermé.

*

* *

Le sergent O'Connell regarda les deux policiers sortir de l'antre du Canadien.

– Avez-vous maîtrisé le fauve ?

– Il accepte de patienter, précisa Higgins, mais sa réserve de patience n'est pas énorme ; soyez vigilant.

– Comptez sur moi, inspecteur !

– Nous aimerions voir Sigur Barjeson.

O'Connell adopta une mine contrite.

– Vous n'allez pas vous amuser... Le bonhomme est sinistre !

– Des reproches précis ?

– Je ne suis pas un trouillard et je l'ai prouvé, déclara fièrement le sergent ; pourtant, ce type me glace le sang. Dieu seul sait ce qu'il a dans le ventre ! À votre place, je creuserais cette piste-là.

Nerveux, O'Connell débloqua la serrure de l'appartement du Norvégien.

Sigur Barjeson était assis devant son ordinateur et fixait l'écran, rempli de colonnes de chiffres.

L'entrée des deux policiers ne le perturba pas. Concentré, le Norvégien poursuivit sa tâche, comme s'ils n'existaient pas. Glacial, le petit salon était propre et en ordre.

Higgins inspecta la cuisine et la chambre à coucher ; pas le moindre laisser-aller, un domaine anonyme, privé d'âme et de marque personnelle.

De retour dans le salon, servant de bureau, Higgins se permit de toussoter.

En vain.

Scott Marlow intervint de façon plus brutale.

— Superintendant Marlow et inspecteur Higgins, annonça-t-il, martial ; nous aimerions vous poser quelques questions, monsieur Barjeson.

Âgé d'une soixantaine d'années, blond, les cheveux en brosse, grand, une carrure d'athlète, portant des lunettes à monture d'écailles, le Norvégien continua à faire défiler des chiffres sur son écran.

— Monsieur Barjeson, m'entendez-vous ?

Très lentement, l'interpellé tourna la tête.

— Scotland Yard ?

— Exact.

— J'ai un travail à terminer ; asseyez-vous et taisez-vous. J'ai besoin de me concentrer.

Irrité, le superintendant faillit extirper le Norvégien de son siège, mais un regard de Higgins l'en dissuada.

Plusieurs minutes s'écoulèrent, les chiffres continuèrent à s'écouler. Enfin, Sigur Barjeson parut satisfait et se détacha de la machine. Sans précipitation, il consulta un dossier, biffa des paragraphes, déchira des documents et tourna les pages plastifiées d'un classeur. L'une d'elles retint son attention, il s'y attarda et apporta des corrections ; puis il plaça le dossier sous le classeur, se leva, marcha jusqu'à la petite cuisine, s'y lava les mains et se servit un verre d'eau.

Marlow bouillonnait, Higgins regardait le seul objet tranchant sur l'anonymat des lieux : une photographie montrant le Norvégien debout, entre une femme blonde et un garçonnet. Le trio était souriant, heureux de vivre.

— Ma vie privée vous intéresserait-elle ? demanda la voix éraillée de Sigur Barjeson.

26

— Quand un crime a été commis, indiqua Higgins, tout ce qui concerne les suspects intéresse Scotland Yard.

Le regard froid du Norvégien fixa l'ex-inspecteur-chef.

— Suspect… C'est ainsi que vous osez me qualifier ?

— Comme vos collègues présents lors de l'assassinat de Kathleen Silway.

— Assassinat… En êtes-vous certain ?

— Certain, affirma Marlow ; j'aimerais fouiller votre ordinateur.

— Hors de question.

— Ce n'est pas un simple souhait, mais une obligation ; ou bien vous acceptez, ou bien je prélève cette machine.

— Ne s'agirait-il pas d'un abus de pouvoir ?

— En aucun cas.

— Alors, agissez, à une condition : les informations que contient mon ordinateur doivent rester strictement confidentielles.

— Pour quelles raisons ? rétorqua Higgins.

Les yeux du Norvégien devinrent méprisants.

— Vous ignorez la problématique du pôle Nord.

— Auriez-vous la bonté de m'éclairer ?

Sigur Barjeson s'assit sur un canapé d'une banalité affligeante, croisa les jambes, et considéra Higgins avec la condescendance d'un professeur d'université s'adressant à un ignare.

– Il y a quarante mille ans s'est produite une ère glaciaire, expliqua le Norvégien ; nous savons qu'environ vingt-cinq périodes de chaleur l'ont contrariée, en raison d'une forte concentration de méthane dans l'air. Question essentielle : d'où provenait ce gaz ? De récentes recherches, menées à bon terme par des scientifiques de l'université de Berne, ont permis de répondre : du Grand Nord. Stocké au fond de l'océan Arctique, c'était un mélange eau-gaz, surnommé « la glace qui brûle ». Au moindre réchauffement de la mer, le méthane se libérait et déclenchait un puissant effet de serre, provoquant l'élévation de la température de l'air. L'examen des carottes de glace a prouvé que du méthane était également présent en grande quantité dans les zones humides du Pôle. Du gaz piégé sous les terres gelées de l'Arctique, un véritable pactole ! Un seul centimètre cube de cette glace contient 164 centimètres cubes de méthane ; or, ce dernier dégage beaucoup moins de CO_2 que les autres énergies fossiles, et les experts ont la certitude que les réserves de méthane permettront de suppléer le pétrole.

– Un bémol, objecta Higgins : le pompage des sédiments ne déstabilisera-t-il pas les hydrates et ne libérera-t-il pas une trop grande quantité de méthane, au point d'augmenter la température des océans de deux degrés et de provoquer un désastre écologique ?

Le Norvégien se figea et considéra l'ex-inspecteur-chef d'un autre œil.

– Auriez-vous étudié le dossier méthane ?

– Le pôle Nord n'est-il pas l'une des clés de notre avenir ?

– Étonnant, estima Sigur Barjeson ; je ne m'attendais pas à une telle curiosité de la part de Scotland Yard.

– Identifier un assassin implique de ne négliger aucune piste.

– Admettons, accepta le Norvégien, rigide.

– Avez-vous développé vos arguments face à Kathleen Silway ? demanda Higgins.

– Secret professionnel.

– Kathleen Silway a été assassinée, monsieur Barjeson, et ce genre d'objection ne me semble pas valable.

– Pas valable…

– Pas du tout valable.

Un long silence succéda à ce jugement.

– De fait, reconnut le Norvégien, j'ai présenté à Mlle Silway un dossier très complet, accompagné d'une carotte de glace, preuve indiscutable de l'abondance du méthane au pôle Nord. Vu la qualité de mes arguments, je ne doutais pas du contenu du rapport final.

– Était-il rédigé ?

– Je l'ignore.

– Cette carotte de glace, où se trouve-t-elle ?

– Dans un container placé sous la responsabilité de votre service de sécurité. Mlle Silway comptait la soumettre à des experts, et le résultat était assuré.

– L'estimiez-vous compétente ?

– Extrêmement compétente.

– A-t-elle approuvé votre démarche ?

– La défunte était lointaine, secrète et mystérieuse ; je n'ai pas réussi à déchiffrer ses pensées. Qu'on l'appréciât ou non, impossible de contester ses jugements ; on la savait objective et indépendante. De mon point de vue, cette brutale disparition est regrettable.

Pour un peintre, Sigur Barjeson aurait été un modèle idéal, tant sa capacité d'immobilité était remarquable ; pas un geste intempestif, un visage impassible, une attitude figée, une allure statufiée.

— Pourquoi avez-vous demandé un somnifère ? questionna Higgins.

Le Norvégien n'exprima pas d'émotion.

— Simplement à cause d'une nuit d'insomnie.

— Un incident habituel ?

— Non, inspecteur.

— Le climat de Londres vous pèserait-il ?

— Mon emploi du temps est serré, je n'imaginais pas être retenu ici ; ces heures qui s'écoulent me font perdre de l'argent et j'aimerais regagner mon bureau au plus vite.

Higgins s'attarda sur la photographie.

— Votre épouse et votre fils, monsieur Barjeson ?

— Suis-je contraint de répondre ?

— Souhaitez-vous que Scotland Yard examine ce document et le fasse parler ?

Le Norvégien décroisa les jambes.

— Il s'agit d'un souvenir personnel.

— Auriez-vous perdu ces deux êtres chers ?

De longues secondes s'écoulèrent.

— Un accident de voiture, précisa Sigur Barjeson.

— Mes condoléances.

— Le temps et le travail effacent les souvenirs, qu'ils soient heureux ou malheureux. Telle est la condition humaine ; se révolter serait stupide.

— Une nouvelle femme ne partage-t-elle pas votre existence ?

Barjeson sursauta.

27

– Je ne vous permets pas… Vous allez trop loin !

– Selon Berny Garanke, insista Higgins, vous seriez l'amant de la Danoise Sienna Batik, et cette liaison ne serait pas uniquement sentimentale ; une alliance entre la Norvège et le Danemark n'aurait-elle pas influencé de manière décisive Kathleen Silway ?

Le regard de Sigur Barjeson se figea ; il cessa de respirer et décroisa les jambes ; un semblant de vie l'anima à nouveau.

– Accusation absurde, inspecteur ; quoique Mlle Batik soit devenue une intime, nos ambitions sont différentes et incompatibles. Et rien ni personne ne pouvaient influencer Kathleen Silway. C'était d'ailleurs la raison majeure pour laquelle moi et les autres spécialistes avions accepté de nous rendre à cette réunion secrète à Londres, en terrain neutre ; connaissant la rigueur et la compétence de votre compatriote, nous nous en remettions à son jugement, persuadés qu'elle repousserait toute tentative de corruption. Un complot norvégo-danois… Vous connaissez mal les pays du Nord, inspecteur ! Entre mon gouvernement et celui de Mlle Batik, pas de complicité possible ; nous n'avons pas de position commune concernant l'Europe et encore moins le pôle Nord. En revanche, vous devriez vous intéresser à une véritable et dangereuse alliance, celle unissant les États-Unis au Canada.

Higgins tourna une page de son carnet noir ; le soupçon d'émotion disparu, Sigur Barjeson avait recouvré son immobilité naturelle.

— Bizarre, avança l'ex-inspecteur-chef, j'avais l'impression que Berny Garanke et Dough Miglet se détestaient.

— Impression fausse. Ces deux-là sont amis de longue date et jouent aujourd'hui une comédie consistant à faire croire qu'ils sont brouillés ; ouvrez les yeux, inspecteur ! Américains et Canadiens sont liés à jamais. Même langue, même esprit d'entreprise, même mentalité… Quelques petites fâcheries, mais un même destin. Le grand frère américain et le petit frère canadien s'entendent à merveille pour s'accaparer les richesses du pôle Nord en éliminant leurs adversaires.

— Dois-je comprendre que Mr. Garanke est un agent de la CIA et qu'il manipule Mr. Miglet ?

La voix du Norvégien demeura glaciale.

— Vous le devez.

Le ton de Sigur Barjeson devint solennel.

— Face à la puissante coalition américano-canadienne, notre unique rempart était Mlle Silway ; les tentatives d'intimidation ne l'effrayaient pas.

— Son courage lui a coûté la vie, observa Higgins.

— Que le Seigneur l'accueille en son paradis.

— Accusez-vous Garanke de l'avoir assassinée ?

De nouveau, un long silence.

— Accuser est un acte grave, il faut des preuves. Et je n'en ai pas.

— Mais votre conviction est établie, semble-t-il ?

— Mon intime conviction ne concerne que moi ; n'étant pas juré, je n'ai pas à la formuler. Et ces deux hommes ne sont pas les seuls suspects.

– Qui d'autre, monsieur Barjeson ?

– Kathleen Silway avait choisi un petit nombre de spécialistes afin de tenir une réunion au sommet et de rédiger un document décisif sur l'avenir du pôle Nord ; comme mes collègues, je suppose, j'ai été surpris par la présence de la Française Amandine Delafoy qui déplaisait fortement à la défunte.

– Vous aurait-elle confié ses sentiments ?

– La position de Kathleen Silway était publique et connue, inspecteur ; elle a publié des textes mettant en lumière les erreurs et les dérives de Mlle Delafoy.

– À savoir ?

– Cette demoiselle est une parfaite représentante de l'écologie politique française, c'est-à-dire un rideau de fumée derrière lequel se cachent des gauchistes et des nostalgiques du marxisme qu'ils tentent de prolonger en abusant les naïfs. Amandine Delafoy est une généticienne engagée, influente et dangereuse ; elle voulait convaincre Kathleen Silway de lui accorder une vaste mission scientifique consistant à explorer cet immense territoire d'un point de vue écologique. D'après Delafoy, la « récolte génétique » aurait été fabuleuse.

– Vous paraissez sceptique ?

– Kathleen Silway l'était, inspecteur ; elle appréciait les techniciens, pas les idéologues.

– Avez-vous assisté à des altercations entre elle et Amandine Delafoy ?

– Non.

– L'alarme incendie a dû vous surprendre, suggéra Higgins.

Le Norvégien décroisa les jambes et les recroisa.

– Elle m'a importuné, en effet, alors que je vérifiais des données essentielles.

– Lesquelles, monsieur Barjeson ?

143

– Les quantités prévisionnelles de méthane abritées sous les glaces du pôle Nord. La modélisation informatique a beaucoup progressé, il convient de vérifier et de vérifier encore ; avant de livrer mes derniers chiffres à Kathleen Silway, je tenais à m'assurer de la cohérence du travail des experts. Parfois, ils se contredisent ; si c'était le cas, ma thèse aurait été gravement affaiblie.

– Votre travail a donc été interrompu ?

– Malheureusement oui, et je déteste ce genre d'incident. Néanmoins, j'ai pris l'alarme au sérieux et je suis sorti de mon appartement.

– Qu'avez-vous remarqué ?

– Conformément aux consignes de sécurité, mes collègues s'étaient rassemblés dans le couloir, et chacun gardait son sang-froid. D'ailleurs, pas de fumée, pas de signe de danger.

– Avez-vous remarqué quelque chose d'anormal ?

– L'absence de Kathleen Silway. Le patron des vigiles a vite noté cette anomalie et décidé d'ouvrir sa porte ; on nous a annoncé qu'il s'agissait d'une fausse alerte, nous sommes restés calmes, et puis la nouvelle est tombée : Mlle Silway était morte.

– Des réactions ?

– Abattement général. On nous a priés de regagner nos pénates et d'attendre Scotland Yard.

Scott Marlow se leva ; un hochement de tête négatif conclut ses investigations.

Higgins referma son carnet noir.

– Monsieur Barjeson, n'avez-vous rien d'autre à me dire ?

Le Norvégien regarda le plafond.

– Rien, inspecteur.

– Souvent, la mémoire nous joue des tours.

– Pas la mienne.

28

– Quelle sale journée, estima le sergent O'Connell ; il neige à gros flocons, on grelotte, Londres est paralysée. J'espère que le chauffage du bunker ne sera pas coupé ! En attendant, on devrait s'offrir un grog à l'alcool de cerise ; dans les neiges afghanes, ça m'a requinqué.

Les nerfs usés par ses explorations informatiques, Scott Marlow avait besoin d'un remontant.

– Un vrai glaçon, ce Barjeson, non ?

– Il faut savoir l'aborder, estima Higgins.

– Il vous reste la Française… Bonne chance ! À votre place, celle-là, je ne m'en approcherais pas.

– Vous a-t-elle causé de nouveaux ennuis ?

– Elle se tient tranquille, mais je redoute son apparition ! À vous de jouer, inspecteur.

Le superintendant vida son grog et, vaillant, assista à l'ouverture de la porte d'Amandine Delafoy.

– Un instant, un instant ! exigea une voix cristalline.

Les deux policiers s'immobilisèrent sur le seuil de l'appartement.

Apparut une jolie petite femme d'une quarantaine d'années, les cheveux noirs coupés courts, non maquillée, les lèvres sensuelles, les yeux pétillants ; pieds nus, vêtue d'un pantalon orange et d'une blouse verte échancrée laissant apercevoir la naissance de seins laiteux, elle observa ses visiteurs.

— Vous êtes Scotland Yard ?

— Superintendant Marlow et inspecteur Higgins.

— Ah… C'est du sérieux !

— Un assassinat n'a rien d'une plaisanterie, rappela Scott Marlow, sévère ; nous devons fouiller votre appartement et sonder vos ordinateurs.

La Française parut amusée.

— Je n'en possède qu'un seul ! Attendez, je vais le retrouver.

Le salon était encombré d'un nombre impressionnant de magazines, les uns consacrés à l'actualité des *people*, les autres à l'agriculture, à la vie naturelle et à l'alimentation biologique.

Sous une pile se cachait un ordinateur vert fluo.

— Le voilà ! s'exclama Amandine Delafoy, visiblement ravie ; ça faisait un moment que je le cherchais. J'espère qu'il fonctionne encore.

La page d'accueil montrait un assortiment de concombres, de pousses de soja et de brocolis, accompagné de la mention « Halte à la nature morte ».

Comment ne pas songer à la délicate *Ode à la campagne* de Harriett J. B. Harrenlittlewoodrof qui avait évoqué ses délices comme personne :

> *Vergers en fleurs, prairies heureuses,*
> *Boutons d'or et renoncules,*
> *Vent léger au parfum de pêcher,*
> *Tendres lilas amoureux du ciel bleu.*

— Eh bien, allez-y ! recommanda la Française, souriante. Bougon, Marlow s'attaqua à la machine.

– Cette bécane contient les derniers rapports des militants de l'écologie politique, annonça la jolie brune ; ils devraient vous ouvrir l'esprit.

Amandine Delafoy considéra Higgins comme une sorte de gourmandise.

– Vous avez beaucoup de charme, inspecteur ; si tous les policiers vous ressemblaient, on aurait moins peur de les croiser.

– Vous m'en voyez ravi, mademoiselle ; puis-je vous demander de me guider ?

– Le tour du propriétaire sera vite fait ! C'est en désordre, je vous préviens ; quand je m'installe quelque part, j'ai l'habitude de m'étaler.

La Française ne se vantait pas. Chambre, salle de bains et cuisine offraient un beau désordre où se mêlaient publications scientifiques, albums de photographies et vêtements divers.

– Ce n'est pas un exemple de rangement, je le reconnais ; mais passer sa vie à classer anéantit la créativité ! Il y a tant de combats à mener, aujourd'hui, que je préfère l'initiative au bon ordre.

Sur la table de la cuisine, une dizaine de verres remplis de liquides colorés, allant du rouge profond au jaune paille.

– Des cocktails de légumes expérimentaux, expliqua l'écologiste ; j'utilise de la tomate noire, du potimarron, du céleri, de la mâche, des queues de haricot, de la courgette, de la patate douce et de la betterave. Pas facile d'obtenir un résultat décisif ; voulez-vous goûter ?

– Plus tard, peut-être.

– Les services secrets de Sa Majesté ont rempli mon frigo d'une sympathique bière blonde ; je sers trois verres ?

– Pourquoi pas ?

– Le houblon est un produit naturel aux remarquables vertus diététiques ; s'en priver serait stupide.

Selon la vieille expression française, Amandine Delafoy n'avait pas les deux pieds dans le même sabot ; vive, précise, elle virevoltait.

Lorsqu'elle déposa une chope à côté de Marlow, le superintendant lui lança un regard où se mêlaient satisfaction et méfiance.

– Passionnant, non ? Nos détracteurs nous traitent de cryptomarxistes et de gauchistes attardés, mais la révolution verte est en marche ; bientôt, nous obligerons les gouvernements du monde entier à tenir compte de nos idées. La Chine s'y met déjà !

Scott Marlow but une première gorgée de bière, plutôt fadasse, et poursuivit son exploration.

– Vous cherchez quoi, dans mon ordinateur ?

– Des indices compromettants, répondit Higgins.

– De quel genre ?

– Des documents et des informations que vous ne devriez pas détenir.

La brune fronça les sourcils.

– Par exemple ?

– Le rapport de Kathleen Silway sur le pôle Nord.

La Française retint un éclat de rire.

– Elle est bonne, celle-là ! Et ça prouverait quoi ?

– Votre culpabilité.

– Ma culpa… Parce que vous me soupçonnez ?

– Métier oblige, avoua Higgins.

– Moi, j'aurais assassiné Kathleen Silway ! Elle est superbonne de chez superbonne… Notez, nous nous détestions.

29

Amandine Delafoy écarta une pile de dossiers relatifs à la dégradation des eaux potables, polluées par des métaux lourds, des détergents, des résidus de médicaments et autres substances peu recommandables, puis s'assit sur le canapé fatigué du salon.

— Détester est bien le mot juste ? interrogea Higgins.

— Terme faible ! Kathleen Silway me méprisait et niait mes compétences scientifiques ; moi, je la haïssais, à cause de sa brillance intellectuelle et de son autorité incontestée !

— À tort, selon vous ?

— Justement pas ! s'exclama la Française ; si quelqu'un savait tout du pôle Nord, c'était elle. En dépit de son fichu caractère et de ses préventions injustifiées à mon égard, pas question de remettre en cause son jugement.

— Et surtout ce rapport, tellement attendu.

— Personne n'en a vu la couleur, et nous ne connaîtrons jamais la ligne de conduite que la malheureuse Kathleen voulait imposer à la communauté internationale. Ça vous ennuie si je me fais les ongles des pieds ?

— Je vous en prie.

Toujours aussi prompte, l'écologiste se leva, courut à la salle de bains et en ressortit avec le matériel nécessaire.

– J'ai choisi un vernis rouge fabriqué en Inde à base de coquillages ; il faut lutter contre la dictature des fabricants de produits de beauté, inspecteur ; savez-vous qu'ils torturent les animaux pour vendre leurs gadgets pourris et faire croire aux femmes qu'elles n'auront pas une seule ride à quatre-vingts ans ? Et l'on nous inonde de publicités mensongères truffées de vieilles actrices relookées !

– La crédulité humaine est sans limites, déplora Higgins ; Mlle Silway ne souhaitait pas votre présence ici, semble-t-il ?

– Elle a tenté de l'empêcher, et j'ai dû battre le rappel de mes relations afin de m'imposer.

Amandine Delafoy se haussa du col.

– La France est encore une grande puissance, sa voix est entendue ; mon pays devait être présent à cette réunion capitale, aux conséquences incalculables.

– Kathleen Silway a donc recueilli vos propositions ?

– Elle m'a entendue, comme les autres, et j'ai défendu ma cause ! Quand c'est indispensable, je ne suis pas du genre à baisser le ton. Silway m'a écoutée, et je suis persuadée d'avoir été convaincante.

Armée d'un pinceau, la Française, d'un geste délicat, commença à orner d'un rouge intense l'ongle du petit orteil de son pied gauche.

– J'aimerais comprendre votre combat, mademoiselle Delafoy ; quelles étaient vos exigences ?

– Voilà la bonne question, inspecteur ! Nous subissons une situation absurde : grâce à un traité, l'Antarctique est protégé, activités militaires et minières y sont interdites ; l'Arctique, lui, est livré à toutes les convoitises ! Au nom de tous les écologistes, j'ai alerté un maximum de gouvernements et réclamé un traité de protection du pôle Nord ; à Kathleen Silway d'imposer ce projet. La banquise est en perdition ; or, les scientifiques ont démontré qu'elle participait de façon capitale à la régulation de la température du globe. Hélas ! cette banquise arctique ne cesse de rétrécir, et sa masse s'amoindrit à grande vitesse depuis quelques années. Une énorme quantité d'eau douce ne tardera pas à gagner l'Atlantique et à détruire le Gulf Stream qui assure à l'Europe de l'Ouest son climat tempéré. Bref, deux catastrophes simultanées : réchauffement et glaciation !

— Kathleen Silway était-elle consciente du danger ?

— Après mon exposé, elle ne pouvait plus l'ignorer !

Délicatement, Amandine Delafoy s'occupa de l'ongle suivant.

— Pourquoi avez-vous exigé que l'on fasse le ménage de votre appartement à dix heures du soir ? demanda Higgins.

Le pinceau resta suspendu une dizaine de secondes.

— Les nerfs. Lorsque je suis victime d'une émotion forte, je suis prise d'une envie forcenée de nettoyage ; ici, pas d'aspirateur, de plumeau, de serpillière, de lingettes, de chiffons ! Alors, j'ai appelé le patron des vigiles. Une femme de ménage est intervenue, je me suis sentie mieux et j'ai réussi à dormir ; ça paraît idiot, mais je fonctionne ainsi.

— Au moment où l'alarme incendie s'est déclenchée, mademoiselle, que faisiez-vous ?

La Française se concentra.

— Je méditais.

— Pourrais-je connaître l'objet de cette méditation ?

— C'est assez... gênant.

— Désolé d'insister, mademoiselle Delafoy.

— N'allez pas vous méprendre, inspecteur ! Je suis un peu voyante, c'est un don que je tiens de ma mère. Lors de circonstances exceptionnelles, il m'arrive de prévoir l'avenir immédiat.

La Française attaqua son troisième ongle.

151

— Jolie couleur, non ?

— Ravissante, reconnut Higgins ; qu'avez-vous donc vu, avant l'alarme incendie ?

— Un meurtre.

Amandine Delafoy posa son pinceau, but une gorgée de bière et reprit son instrument ; la finesse de ses pieds et de ses orteils leur valait bien une attention particulière.

— Des détails, mademoiselle ?

— Une femme affolée, un geste d'une extrême violence, pas de cri, un cadavre... C'était assez flou. Et puis ce bruit strident ! J'ai sursauté, l'horreur s'est effacée.

— Le visage de l'assassin ?

— Impossible de le décrire.

— Un homme ou une femme ?

L'écologiste mâchonna l'extrémité en nacre de son pinceau.

— Trop fugace, trop trouble...

— Et l'arme du crime ?

— Je ne l'ai pas aperçue.

— La victime ?

— Kathleen Silway, j'en suis certaine ! Quand l'alarme a retenti, son visage s'est brisé en mille morceaux. Encore bouleversée, étourdie, j'ai ouvert ma porte et me suis aventurée dans le couloir. Et les autres sont apparus, presque en même temps, à l'exception de Kathleen Silway.

— Avez-vous noté quelque chose d'anormal ? demanda Higgins.

— Plusieurs anomalies et comportements bizarres ! En fait, j'ai tout vu.

30

« La prétention innée des Français n'est pas une légende, pensa Marlow, et cette citoyenne-là ne fait pas exception à la règle. » Consciencieux, le superintendant continua à fouiller les entrailles de l'ordinateur, remplies de manifestes écologiques.

— Votre témoignage nous sera fort précieux, préjugea Higgins.

— Je n'en doute pas, inspecteur ; en ce qui concerne l'identité de l'assassin, mon intime conviction est établie. Néanmoins, l'objectivité scientifique me contraint à relater l'ensemble de mes observations.

D'un regard en coin, Amandine Delafoy vit Higgins tourner une page de son carnet noir. Cet enquêteur élégant et séduisant la prenait au sérieux.

— Ma mémoire est excellente, affirma la Française ; étant donné l'intensité de ce moment, je n'ai pas oublié le moindre détail. Après moi, le premier à sortir de son appartement fut l'Américain Berny Garanke. Mal habillé, comme d'habitude, avec sa chemise de laine à gros carreaux noir et rouge et son pantalon de toile, il était très énervé ; on aurait juré qu'il avait envie de cogner sur quelqu'un. Rien d'étonnant de la part de ce massacreur d'animaux ! Il se vante d'avoir dépecé des ours et des phoques, et n'hésiterait pas à tuer n'importe quel être vivant pour survivre.

— Par exemple une scientifique britannique qui lui barrerait le chemin ?

Le geste d'Amandine Delafoy était toujours aussi sûr ; pas une trace de vernis en dehors de l'ongle.

— Garanke en aurait été capable, affirma-t-elle sans animosité ; ce bulldozer ne supporte ni obstacle ni contradiction.

— Kathleen Silway l'aurait-elle mécontenté ?

— Je l'ignore ; et puis Berny Garanke n'était jamais aimable. L'attitude de Sienna Batik fut beaucoup plus surprenante ; elle, l'élégante branchée, portait une vieille blouse grise et une jupe-culotte ridicule ! À l'évidence, cette alarme la prenait au dépourvu ; mais pourquoi tentait-elle de se cacher ? Elle s'est abritée derrière Garanke et, ensuite, derrière ceux et celles qui se trouvaient dans le couloir ; cette Danoise voulait se dissimuler et ne rêvait que de disparaître !

— L'émotion, peut-être ?

— Ne soyez pas naïf, inspecteur ! Quand on a commis un mauvais coup, on n'a pas envie de se montrer.

— Les préoccupations écologistes de Sienna Batik ne rejoignent-elles pas les vôtres ?

— Pas exactement ! Elle a fait bâtir un super coffre-fort de semences pour garantir la survie de l'humanité, mais ce n'est qu'un pansement inutile ; moi, je propose une solution globale.

La Française contempla son pied gauche aux ongles peints et sembla satisfaite.

— Je ne m'explique pas son comportement, reprit Amandine Delafoy, mais était-elle radicale au point de supprimer Kathleen Silway qui n'aurait certainement pas approuvé ses projets ? À côté de Karnowski, remarquez, elle ne paraissait pas dangereuse ; croyez-moi, inspecteur, un ex-amant est forcément redoutable.

– Une liaison entre Kathleen Silway et Waldemar Karnowski ? s'étonna Higgins.

– Si froide d'apparence, elle était folle de lui ! Ils ont rompu juste avant ce rendez-vous décisif pour l'avenir du pôle Nord, et je suis persuadée que ce grand amour s'est brutalement transformé en affrontement haineux. Lui, si beau ; elle, si intelligente ; et la déchirure ! Je le revois, sortant de son domaine, de noir vêtu, arborant, comme toujours, sa superbe ceinture à la boucle d'or scintillant sous les lumières vives des spots du couloir, et son allure inimitable de prince russe ! En le regardant, j'ai compris Kathleen Silway ; les hommes aussi attirants ne courent pas les rues. Pourtant, il avait tout intérêt à supprimer son ex-maîtresse !

– En êtes-vous sûre ? Mlle Silway aurait-elle cédé à un esprit de revanche au mépris de l'honnêteté et de la rigueur que l'ensemble de ses interlocuteurs lui reconnaît ?

L'argument troubla la Française, préoccupée par son pied droit.

– Ce n'était pas son genre, reconnut-elle ; et qu'y a-t-il de plus redoutable que le pétrole ?

– Évoquez-vous Dough Miglet ?

L'œil d'Amandine Delafoy flamboya.

– Ce type a une obsession : transformer la planète en champ d'exploitation pétrolière ! Son prochain objectif, c'est le pôle Nord, et pas question de contrarier ses ambitions, au risque de déclencher ses foudres. Le pétrole n'est pas un jeu d'enfant, et les routes menant aux gisements sont parsemées de cadavres. Kathleen Silway n'était-elle pas devenue gênante ?

– Avait-elle pris une position officielle ?

— Pas encore, mais Miglet s'est comporté de façon bizarre pendant notre bref séjour dans le couloir. Il a longuement observé les détecteurs d'incendie, particulièrement celui qui a provoqué la fausse alarme, comme s'il vérifiait la réussite de son sabotage.

— L'accuseriez-vous d'avoir organisé une mise en scène ?

— Miglet est capable de tout ! Et le pétrole étant indissociable du gaz, le Canadien avait un allié non moins redoutable.

— Sigur Barjeson ?

— Ce Norvégien est prêt à détruire la banquise pour en extraire son gaz ! Et lui non plus ne s'embarrasse pas de considérations morales. Durant l'alerte, il était immobile et glacial, avec un petit air réjoui ; l'annonce de la mort de Kathleen Silway ne lui a provoqué aucune émotion.

— Comment était-il habillé ? demanda Higgins.

— Pull-over rouge, pantalon de velours marron.

— Et Dough Miglet ?

— Chemise jaune, jean et pantoufles.

— L'une des personnes présentes tenait-elle un objet ? interrogea l'ex-inspecteur-chef ; réfléchissez bien, je vous prie.

La Française cessa son délicat labeur.

— Non, je m'en souviendrais ; toutes avaient les mains vides.

— Li Wan comprise ?

— Comprise, mais elle…

Amandine Delafoy hésita.

— Li Wan a assassiné Kathleen Silway.

31

L'ordinateur de la Française ne contenant rien d'intéressant, Scott Marlow se leva et fit face à l'accusatrice.

— Avez-vous des preuves, mademoiselle ?

— Un faisceau d'indices concordants.

— Pesez vos paroles, recommanda le superintendant.

— Pour qui me prenez-vous ? Une scientifique ne se prononce pas à la légère !

Higgins calma le jeu.

— Nous vous écoutons avec la plus extrême attention, mademoiselle.

Abandonnant son vernissage, Amandine Delafoy fut victime d'une fièvre de rangement. Tout en déplaçant des piles de dossiers et en tentant de remettre de l'ordre, elle s'expliqua.

— J'ai rencontré Li Wan à Pékin il y a six mois, lors d'un congrès consacré au développement agricole de la Chine. Au nom des écologistes, je me suis élevée contre les pratiques destructrices et ruineuses de l'agriculture intensive qui provoqueront, en un temps record, la mort des terres cultivables et une famine mondiale. J'ai exposé les méthodes alternatives, à l'efficacité démontrée, auxquelles s'opposent les multinationales de la malbouffe et les industries chimiques. Li Wan appartenait à la délégation officielle du

Parti communiste, et j'ai eu l'impression que mes arguments ne la laissaient pas indifférente ; profonde erreur ! En me succédant à la tribune, elle s'est livrée à une violente attaque, estimant les révisionnistes de l'environnement coupables des crises économiques. La nature doit être au service de l'homme, a-t-elle martelé, et non l'inverse ; selon elle, mes idées sont un frein catastrophique au progrès et à la croissance. Impossible d'entamer le débat, et ses conclusions furent adoptées ! J'étais tellement irritée que je me suis renseignée sur cette réactionnaire ; ex-championne de karaté, elle avait décidé d'effectuer une traversée à la nage de la Floride à Cuba afin de stigmatiser l'impérialisme américain et de prouver l'intérêt de la Chine envers la révolution castriste. Ce coup d'éclat lui aurait valu une notoriété planétaire, mais son matériel avait été saboté ; échec cuisant et humiliation ! Et les officiels chinois connaissent l'identité du saboteur : l'Américain Berny Garanke, agent spécial de la CIA.

— Li Wan l'aurait donc pourchassé jusqu'ici, avança Higgins.

— En la revoyant, avoua la Française, j'ai été stupéfaite ! Les désirs de la Chine deviennent vraiment des ordres.

— Un détail me gêne, indiqua l'ex-inspecteur-chef ; si je vous suis bien, Li Wan aurait dû supprimer Berny Garanke et non Kathleen Silway.

La Française s'immobilisa, comme si elle prenait conscience d'un fait nouveau.

— Logique, en effet, et je demeure persuadée que c'était l'un des deux objectifs de cette espionne rompue aux sports de combat et capable de briser la nuque d'un colosse ; une seconde mission, prioritaire, lui avait été confiée : empêcher Kathleen Silway de rédiger son rapport, base d'une législation relative au pôle Nord et contraire à l'expansion chinoise. S'intéressant à cette région riche de promesses, le nouveau géant asiatique avait besoin de temps pour arrêter une stratégie ; l'urgence consistait à écarter la menace que représentait Kathleen Silway.

D'abord sceptique, Scott Marlow jugea l'hypothèse intéressante ; le bon peuple ignorait le nombre et l'ampleur des coups tordus imputables aux services secrets, et celui-là avait un parfum de vraisemblance. Si la Chinoise était coupable, le Foreign Office[1] avait de belles nuits blanches devant lui !

— Cette menace était-elle avérée ? demanda Higgins ; le rapport de Mlle Silway n'ayant pas été rendu public, pourquoi Li Wan aurait-elle commis un meurtre ?

— Un meurtre préventif ! trancha la Française ; préventif et indispensable aux yeux des Chinois. Soyez lucide, inspecteur ; nous sommes à un tournant de l'Histoire, et la Chine veut prendre la tête.

— Disposeriez-vous d'éléments concrets, mademoiselle ?

La brune déplaça une pile entière de paperasses.

— Le meilleur qui soit : un flagrant délit !

Amandine Delafoy fut ravie de son effet : les deux policiers semblaient impressionnés.

Agitée, elle arpenta le salon en revivant la scène qu'elle avait vécue.

— La veille du crime, vers 22 heures, j'ai eu la fringale et j'ai décidé de me rendre à la cuisine en espérant y découvrir du pain et du fromage ; en ouvrant ma porte, j'ai entendu des éclats de voix et aperçu deux femmes, à l'extrémité du couloir, visiblement prêtes à en venir aux mains. Étonnée, j'ai battu en retraite et maintenu ma porte entrebâillée afin de ne rien perdre de l'événement ; et je n'ai pas été déçue ! Pas un seul mot de leur grave altercation n'est

---

1. Le ministère des Affaires étrangères britannique.

sorti de ma mémoire ; vu la gravité de la situation, je ne dois plus me taire.

— Nous vous écoutons, exigea Marlow, intrigué.

La Française mima alternativement Kathleen Silway et Li Wan.

— « Ça suffit, a ordonné Silway ; ni vous ni votre gouvernement ne m'impressionnez. » « Ne soyez pas butée, recommanda Li Wan ; vous et moi travaillons pour l'avenir du monde. » « Vous vous êtes expliquée, j'ai noté vos arguments et j'en tirerai les conclusions nécessaires. » « N'excluez pas la Chine », conseilla Li Wan ; « Serait-ce une menace ? » s'étonna Silway ; « À vous de voir », ironisa la Chinoise. Alors, Silway l'a agrippée par le col de sa blouse ; « Je vous le répète, a-t-elle dit, ça suffit. » D'un geste vif, Li Wan s'est dégagée et j'ai cru qu'elle allait frapper son adversaire, mais elle a retenu son geste.

Excitée, Amandine Delafoy jeta au loin un rapport explosif sur les concombres transgéniques.

— Votre affaire est résolue, non ?

— En grande partie, concéda Marlow, ébranlé.

— Comment, en grande partie ? Résolue, c'est résolue ! Interrogez cette Chinoise et faites-la avouer. Je confirmerai mon témoignage en sa présence et je vous remets ma déclaration écrite, signée et datée. Où l'ai-je mise, déjà ?… Un instant.

La Française se lança dans une fouille intense, dérangeant ce qu'elle avait rangé.

— Pas possible… Je ne l'ai quand même pas perdue !

Nouvelle piste : la corbeille à papier. La brune la vida, en vain.

— Ça y est, je me souviens !

Elle se précipita à la cuisine et en ressortit, un feuillet à la main.

– Ma déclaration.

Higgins la lut ; elle correspondait aux révélations de l'écologiste.

– Votre enquête étant terminée, estima Amandine Delafoy, je suppose que je peux sortir immédiatement de ce bunker et regagner mon pays ?

– Il nous reste des détails à vérifier, objecta Higgins, et je suis navré de solliciter votre patience.

La frimousse de la jeune femme se fripa.

– C'est contrariant... Très contrariant.

32

Le sergent O'Connell avait préparé deux grogs à l'intention des policiers et un cake moelleux.

— Sacrée journée ! Vous avez terminé ?

— Nous avons progressé, révéla Higgins.

— En tout cas, personne ne quittera le bunker cette nuit ! Il a tellement neigé que les aéroports sont bloqués, et la plupart des trains sont annulés. Circuler à Londres ce soir relèvera de l'exploit, les services de la voirie sont débordés. Jamais vu un temps pareil ! Ici, au moins, on ne manquera de rien. Bon, je vais commander le dîner.

— Ne levez aucune des consignes de sécurité, recommanda Higgins.

— À vos ordres.

Le cake redonna de l'énergie à Marlow et le grog effaça la fatigue particulière due au travail prolongé sur les ordinateurs ; l'ex-inspecteur-chef, lui, paraissait soucieux.

— Nous sommes dans un marécage où s'affrontent les services secrets, et Kathleen Silway fut la victime d'obscures manipulations.

— Vous avez trop d'expérience, mon cher Marlow, pour ne vous fier qu'à un témoignage accablant ; et une altercation n'est pas forcément le prélude à un crime.

— Douteriez-vous de la culpabilité de l'espionne Li Wan ?

– Nous n'en sommes pas aux conclusions.

Le scepticisme de son collègue entama le moral du superintendant, contraint d'obtenir un résultat rapide et probant ; et la réserve de Higgins n'incitait pas à l'optimisme.

O'Connell réapparut.

– Terrine de volaille, soupe de poissons, poulet au curry… Ça vous convient ?

– Parfait, répondit l'ex-inspecteur-chef ; disposez-vous d'un local d'interrogatoire ?

– C'est un peu délicat…

– Nous avons les pleins pouvoirs, rappela Marlow, autoritaire.

– Et c'est pressé ?

– Conduisez-nous, demanda Higgins.

Réticent, O'Connell se conforma néanmoins aux instructions. Un escalier étroit descendait au sous-sol du bunker où avaient été aménagées des cellules et une pièce carrée. Au centre, une table en acier ; de part et d'autre, des chaises métalliques.

Le sergent pressa un bouton, déclenchant des lumières vertes.

« C'est pire qu'un sépulcre », pensa Marlow.

Higgins examina les murs et le plafond, truffés de micros et de caméras.

– Vous enregistrez tout ce qui se passe ici ? questionna-t-il en regardant O'Connell.

– Bien obligé, inspecteur.

– Ne modifiez pas vos habitudes et amenez-nous Sienna Batik, je vous prie. Urgent et impératif : ne lui accordez pas une seconde de répit.

Appréciant ce genre de mission, O'Connell partit à l'abordage.

Marlow ne cacha pas son étonnement.

— Vous soupçonnez la Danoise ?

— En vérifiant certains détails, superintendant, nous éliminerons de fausses pistes ; à première vue, elles sont nombreuses.

Le sergent s'acquitta de sa tâche avec promptitude.

Les cheveux mouillés, vêtue d'un corsage orange et d'un bermuda en coton blanc, chaussée de sandales violettes, Sienna Batik semblait affolée. Et l'atmosphère sinistre de la salle d'interrogatoire ne la rassura pas.

— Que se passe-t-il ?

— Un crime, rappela Higgins ; veuillez vous asseoir.

Mal à l'aise, la jolie blonde obéit, ne quittant pas des yeux l'ex-inspecteur-chef, comme si elle s'attendait à une arrestation imminente.

Scott Marlow s'engouffra dans la brèche.

— Il est temps d'avouer, mademoiselle Batik ; pourquoi et comment avez-vous tué Kathleen Silway ?

Le superintendant avait rarement vu l'étonnement déformer à ce point un visage ; le corps entier de la Danoise tressaillit.

— Vous… vous plaisantez ?

— En ai-je l'air ?

La masse et le regard impérieux de Scott Marlow avaient de quoi impressionner un fort caractère ; Sienna Batik se sentit en danger.

— Vous… vous divaguez !

Sous la lumière glauque du local, le visage de Higgins prit un aspect inquiétant.

— Êtes-vous très liée à l'écologiste française Amandine Delafoy, mademoiselle Batik ?

Le ton posé n'abusa pas la Danoise ; en dépit de son allure paternaliste, cet inspecteur exigeait la vérité.

– Très liée… Oui, très liée ! Nous avons beaucoup de points communs et partageons le même idéal. Nous envisageons de nous marier.

– Scotland Yard dispose de puissants moyens d'investigation et contrôlera vos déclarations point par point ; une absolue sincérité de votre part nous fera gagner du temps.

– Je viens de vous la prouver et…

– Votre complicité affective s'est-elle transformée en alliance professionnelle aux buts douteux ?

– Je… je ne comprends pas !

– Bien sûr que si, mademoiselle Batik ; à l'échelle mondiale, le trafic des semences n'est pas une petite affaire ! Et ni vous ni votre maîtresse n'êtes stupides ; quels que soient vos engagements idéologiques, vous ne dédaignez pas les profits matériels.

La Danoise croisa les doigts et baissa la tête.

– Vous… vous croyez qu'Amandine et moi avons procédé à des transactions frauduleuses ?

– Exactement.

Sienna Batik se mordit les lèvres.

– Il faut nous comprendre, inspecteur ; parfois, les tentations sont trop fortes. N'imaginez pas des sommes considérables ! À l'occasion, nous avons favorisé tel ou tel producteur de semences ; en échange, ils nous ont accordé de menus privilèges.

– En clair, des pots-de-vin.

Du sang perla à la lèvre inférieure de la Danoise.

– Kathleen Silway était-elle informée ? demanda Higgins.

Sienna Batik se révolta.

– Bien sûr que non !

– Supposons le contraire ; en ce cas, vos arguments et ceux de Mlle Delafoy se sont révélés dérisoires, et Kathleen Silway est devenue une ennemie redoutable.

Les yeux de la Danoise s'écarquillèrent.

— Vous... vous ne supposez pas...

Scott Marlow fit un pas en direction de la suspecte, et ce mouvement affola la blonde.

— Amandine et moi avons récolté un peu d'argent au noir, avoua-t-elle, mais ni elle ni moi n'avons commis le moindre crime ! Nous respectons la vie, c'est notre valeur suprême, et nous sommes incapables de donner la mort !

La jeune femme semblait bouleversée.

— Avez-vous proposé à Kathleen Silway de l'associer à votre trafic en échange de son appui ?

Affolée, Sienna Batik était au bord du malaise.

— Comment... comment le savez-vous ? C'était l'idée d'Amandine, pas la mienne ! Je lui avais pourtant dit que cette Anglaise était incorruptible, mais vous connaissez les Français ! Ils se croient supérieurs au monde entier. Imposée par des lobbyistes à cette réunion secrète, mon amie s'est heurtée à l'intransigeance et au mépris de Kathleen Silway.

— Elle en a ressenti de l'aigreur, je suppose ?

— Ce n'est pas le genre d'Amandine ! Les échecs ne l'impressionnent pas.

— Est-ce également votre cas ?

La Danoise se leva.

— Amanda et moi sommes innocentes, inspecteur ; nos petites bévues ne sont pas des crimes.

« Comédienne ou sincère ? » s'interrogea Marlow, qui aurait volontiers prolongé l'interrogatoire.

— Regagnez votre appartement, ordonna Higgins, et attendez nos instructions.

Sienna Batik leva des yeux pleins d'espérance.

— Vous me croyez, n'est-ce pas ?

— Mon unique préoccupation est la vérité, mademoiselle.

33

Sienna Batik sortit brisée de la salle d'interrogatoire, et deux vigiles la raccompagnèrent à son logement provisoire.

— Elle n'a pas l'air fraîche, estima O'Connell en apportant une bouteille d'eau gazeuse et des verres ; vous l'avez drôlement secouée, la petite blonde ! Alors, c'est elle ?

— Pourriez-vous nous amener Berny Garanke ? demanda Higgins.

— La brute d'Américain risque de ruer dans les brancards ! Bon, je m'en occupe.

Le sergent partit vaillamment à l'assaut.

Scott Marlow utilisa son téléphone antibrouillage pour contacter le Yard et presser les services techniques de lui fournir des résultats. À peine terminait-il un entretien musclé que le colosse chauve franchit le seuil de la pièce, baignée de lumière verte.

— C'est une salle de torture ?

— Rassurez-vous, monsieur Garanke, dit Higgins d'une voix posée ; votre intégrité physique sera préservée.

De son pas lourd, l'Américain explora l'endroit.

— Ne tournons pas autour du pot, messieurs ; vous me soupçonnez et vous voulez me faire craquer en utilisant vos vieilles méthodes. Un conseil : asseyez-vous dessus ! Ces trucs-là me font rigoler ; à côté de la violence du pôle Nord, de la gnognote ! Et vous n'avez que de l'eau pétillante à m'offrir ? Pour remplir le verre du condamné, c'est minable.

— Avez-vous conclu un accord avec le Danemark afin de vous emparer du Pôle au détriment des autres pays ? demanda Higgins.

L'Américain sourit.

— La théorie du complot, hein ? Je vais vous en boucher un coin : ce coup-là, elle est valable. Acheter le Danemark et la blonde Batik, c'est s'assurer le contrôle du Groenland. Pas suffisant, mais nécessaire ; ensuite, si nos copains sont de bonne composition, on étendra le territoire américain.

— Kathleen Silway était-elle au courant ?

— Seulement si la Danoise a causé. Remarquez, vu son intelligence, elle devait s'en douter ; après tout, rien de plus logique.

— Reconnaissez-vous être un agent secret, monsieur Garanke ?

— Juste un explorateur et un conquérant, inspecteur, et ça me suffit.

— Avez-vous saboté le matériel qu'a utilisé Li Wan lors de sa tentative de traversée à la nage entre la Floride et Cuba ?

Berny Garanke s'assit lourdement et posa les pieds sur la table.

— Vous ne manquez pas de culot, inspecteur !

— Votre réponse ?

— Quand on a une mission, on la remplit et on ne coupe pas les cheveux en quatre ; l'échec de cette Chinoise fut un vrai régal. Manquait plus que cirer les pompes de ces enfoirés de Cubains ! Moi, je ne tremble pas dans mes pantalons devant l'empire du Milieu, et je ressemble à quantité d'Américains : on en a assez de recevoir des leçons des mangeurs de riz.

— Retrouver Li Wan ici a dû vous surprendre ?

— Elle continue son sale boulot ! Les Chinois se croient tout permis et voudraient se goinfrer le pôle Nord sur lequel ils n'ont aucun droit ; pas question de les laisser faire.

Higgins consulta une page de son carnet noir.

— Un autre sabotage vous a causé beaucoup d'ennuis, monsieur Garanke.

Le visage de l'explorateur se ferma.

— Qu'est-ce que vous avez inventé ?

— Le but de votre carrière d'aventurier, cette fabuleuse traversée de la banquise en solitaire, cet échec retentissant… Il n'était pas l'effet du hasard.

— Malheureux concours de circonstances.

— Votre matériel vous a trahi, me semble-t-il.

— Ça arrive aux meilleurs.

— Étant donné votre expérience et l'importance que vous attachiez à cet exploit, la négligence était exclue.

L'Américain quitta sa position et se cala au fond de sa chaise.

— Vous cherchez quoi, au juste ? demanda-t-il d'une voix éraillée en fixant l'ex-inspecteur-chef.

— Si vous disiez la vérité ?

— Dénichez-la vous-même !

— Vous avez fait confiance à une spécialiste et vous avez eu tort.

— Des racontars !

— Et cette spécialiste se nommait Kathleen Silway.

Berny Garanke frappa du poing sur la table.

— Cette vipère m'a possédé, d'accord ! Et je ne cesse de me poser une question : a-t-elle commis une erreur ou m'a-t-elle envoyé volontairement en enfer ?

— Votre réponse ?

— Je ne l'ai toujours pas !

— En la revoyant, vous avez forcément abordé ce délicat problème.

— Ça va de soi ! Silway a prétendu que mon traîneau comportait une malfaçon indétectable et qu'elle n'avait aucune raison de me nuire.

— Et vous l'avez crue ? questionna Higgins.

Garanke bougonna.

— Votre situation devient critique, estima Marlow ; vous aviez un excellent motif pour supprimer Kathleen Silway. Elle avait brisé votre rêve et vous souhaitiez vous venger. À supposer, de plus, qu'elle ait refusé vos projets, votre humiliation était insupportable.

La tête du colosse rentra dans ses épaules.

Le superintendant eut l'impression qu'il allait avouer et libérer sa conscience d'un poids trop lourd. La vengeance... L'un des principaux mobiles de meurtre.

Berny Garanke déploya sa lourde carcasse et peina à se remettre debout.

— Scotland Yard a décidé de tout me mettre sur le dos... Brillante idée ! L'amitié entre le Royaume-Uni et l'Amérique a sacrément baissé. Le problème, c'est que je n'accepte pas d'être un bouc émissaire ! Vous m'avez bien regardé, messieurs ? Moi, on ne me mène pas en bateau ! Alors, montrez-moi vos preuves, et qu'elles soient en béton.

— Nous émettions une hypothèse, précisa Higgins.

— Vous n'avez donc rien de rien à me reprocher... J'attends vos excuses.

Scott Marlow défia le chauve.

– N'en faites pas trop, Garanke ; nous ne pouvons pas encore vous inculper de manière formelle, mais les présomptions sont très fortes. Regagnez votre appartement et tenez-vous tranquille.

L'Américain bouillonna, serra les poings et tourna les talons.

34

– Nous allons convoquer Li Wan, annonça Higgins à Marlow, et vous l'interrogerez de façon classique : nom, prénoms, adresse, situation de famille, profession, loisirs… Prenez votre temps et, si nécessaire, recommencez jusqu'à mon retour.

– Vos intentions ? s'inquiéta le superintendant.

– Cherchez des preuves.

Cette stratégie n'enchanta pas Marlow.

Higgins s'éclipsa, le sergent O'Connell amena la séduisante Chinoise, vêtue d'un délicat ensemble jaune en soie.

– Asseyez-vous, ordonna le superintendant, martial.

Le visage animé d'un demi-sourire, l'Asiatique obéit ; mal à l'aise, Marlow évita son regard teinté d'ironie.

– Je dois vérifier des détails ; commençons par votre identité.

*

* *

O'Connell ouvrit la porte de l'appartement de Li Wan, Higgins franchit le seuil et, tel un chat, entreprit une seconde exploration des lieux. Quand il se livrait à ce genre d'activité, l'ex-inspecteur-chef faisait preuve d'un pouvoir de concentration hors du commun ; son sens inné de l'observation se décuplait, il mettait ses facultés en éveil afin de repérer un détail insolite, susceptible d'éclairer l'enquête en cours.

Higgins se déplaçait lentement, personne n'aurait pu s'apercevoir de son passage. Il redécouvrit le domaine attribué à la Chinoise, adepte d'un ordre strict ; nul vêtement ne traînait, nul dossier n'était éparpillé, les planches de sports de combat ornaient les murs de ce local austère.

L'odeur était assez ténue, mais le nez de Higgins la repéra et le conduisit à une boîte laquée de forme oblongue contenant des bâtonnets.

La première preuve espérée.

La seconde se trouvait sans doute à la cuisine ; confiante en son art de la dissimulation, la Chinoise y avait laissé son imposante théière.

*

* *

Aux questions du superintendant Li Wan répondait de manière évasive ; irrité, Scott Marlow tournait autour d'elle et tentait, en vain, de percer ses défenses.

L'arrivée de Higgins le soulagea ; il tenait un sac gris que lui avait prêté O'Connell. La Chinoise demeura impassible.

— Êtes-vous rancunière, mademoiselle Wan ?

— Je n'ai pas l'habitude d'exposer mes sentiments, inspecteur.

— On comprendrait votre animosité à l'égard de Dough Miglet qui, à cause d'une erreur de conduite au volant, a brisé votre carrière sportive en vous infligeant une grave blessure ; quant à Berny Garanke, son sabotage vous a empêchée d'accomplir un exploit sportif et politique.

– Le passé est le passé ; il convient de l'oublier et de préparer l'avenir.

Du sac gris, Higgins sortit un bâtonnet et le posa sur la table métallique.

– L'un de vos petits plaisirs ?

La Chinoise garda le silence.

L'ex-inspecteur-chef extirpa du sac la grosse théière au décor surchargé.

– Sans être un expert, je connais un peu ce genre d'objet et celui-là, de fabrication récente et pâle imitation d'un modèle ancien, possède une taille anormale ; même une fanatique de thé n'aurait pas transporté, pour elle seule, un pareil objet. Son usage ? Dissimuler ceci, que j'ai trouvé à l'intérieur.

Higgins fit apparaître un canard en plastique orange.

– Puisque ce précieux volatile, propriété de la NASA, est en votre possession, j'en tire deux conclusions : la Chine a récupéré les canards destinés à mesurer la fonte des glaces et le déplacement des eaux vers l'océan ; et vous avez été chargée de négocier leur restitution avec Berny Garanke en échange de votre participation à cette réunion secrète.

– Serait-ce un crime, inspecteur ?

– Résultat satisfaisant, mademoiselle ?

– Mission accomplie ; lorsqu'on sait parler aux Américains, ils s'inclinent.

– Auriez-vous un briquet ou des allumettes ?

– Je ne fume pas.

– Vous en avez néanmoins besoin pour allumer les bâtonnets d'encens dont l'odeur vous ravit et dont la fumée vous a été nécessaire afin de déclencher l'alarme incendie ; même légère, cette senteur est persistante. Pourquoi avoir agi ainsi, mademoiselle ?

– Je ne suis pas obligée de corroborer vos visions.

— Il existe une explication, reprit Higgins ; d'après un témoignage, vous avez eu une sévère altercation avec Kathleen Silway.

— Exact.

— Quel en était le motif, mademoiselle Wan ?

— Je crains que son importance ne vous échappe.

— Accordez-moi une chance, pria Higgins.

La Chinoise émit un léger soupir.

— La préséance, inspecteur ; au nom de la Chine, j'ai demandé à Kathleen Silway de présenter mon gouvernement comme l'acteur principal de l'équilibre planétaire et un décisionnaire incontournable quant à l'avenir du pôle Nord.

— Aurait-elle… refusé ?

— Elle m'a accusée de tentative d'intimidation, le ton est monté, nous avons failli en venir aux mains. J'ai décidé de regagner ma chambre.

— Cet aveu ne vous condamne-t-il pas ?

— Simple discussion animée.

— Ne parvenant pas à corrompre Kathleen Silway, intervint Scott Marlow, vous avez jugé nécessaire de la supprimer ; votre crime accompli, vous avez déclenché l'alarme incendie en espérant vous enfuir.

Li Wan se détendit et sourit franchement.

— La vérité est plus amusante : j'ai testé le système de sécurité. En cas de sinistre, la porte blindée, au fond du couloir, aurait dû s'ouvrir automatiquement et permettre une évacuation rapide ; comme je le redoutais, elle n'a pas fonctionné. Le matériel des services secrets britanniques est défectueux, la décadence de l'Occident inéluctable. Quant à Kathleen Silway, malgré sa rigidité intellectuelle, j'aurais fini par la convaincre ; l'éliminer était inutile et stupide. La

Chine respecte les spécialistes et sait utiliser leurs compétences. D'autres questions, messieurs ?

— Restez à notre disposition, exigea Marlow.

— Hâtez-vous de conclure votre enquête ; ma patience n'est pas inépuisable, et je dois rendre compte à mes supérieurs.

Féline, Li Wan quitta la salle d'interrogatoire.

35

— Elle se paie notre tête ! explosa Marlow ; à l'évidence, c'est elle, la coupable !

— Souvenez-vous du conseil de M. B. Masters à la fin du premier tome de son *Manuel de criminologie* : « Méfiez-vous des évidences. »

— Tout de même, Higgins, cette Chinoise est fortement suspecte !

— Les indications du sergent O'Connell nous seront utiles.

Le patron des vigiles ne dissimula pas les faits : la porte blindée qu'évoquait Li Wan était effectivement en panne. Depuis sa pose, le service d'entretien était intervenu une dizaine de fois, sans parvenir à empêcher les rechutes ; constatant un nouvel incident, O'Connell en personne avait exigé une nouvelle réparation quelques heures avant le drame.

Sur ce point-là, Li Wan n'avait pas menti.

— Nous voudrions revoir Waldemar Karnowski, dit Higgins au sergent.

— La Chinoise… Vous l'arrêtez ?

— Pas de précipitation ; au passage, soyez aimable de remettre cet objet à Mr. Garanke.

O'Connell fut étonné.

– C'est… un canard ?

– Un auxiliaire de la NASA, précisa Higgins.

*
* *

Le grand et raffiné Waldemar Karnowski s'immobilisa sur le seuil de la salle d'interrogatoire.

– Endroit sinistre, jugea-t-il ; est-on obligés de discuter ici ?

– Asseyez-vous, pria Higgins.

Une lumière glauque baigna l'élégant Russe aux cheveux blancs, vêtu d'une chasuble grenat et d'un pantalon gris. On l'imaginait à l'avant d'une grande scène, déclamant du Dostoïevski.

– Je ressens une hostilité certaine, inspecteur ; qu'avez-vous à me reprocher ?

– De nous avoir caché des faits essentiels.

Le Russe esquissa un sourire.

– Ah… Vous avez creusé la glace.

– Indispensable, lors d'une enquête criminelle, rappela Higgins.

– J'apprécie les vrais professionnels ; avec eux, il est toujours possible de s'entendre.

– C'est pourquoi nous souhaitons vous écouter, monsieur Karnowski.

Gardant son calme, le Russe s'installa.

– Puisque vous le savez déjà, autant le confirmer : Kathleen Silway a été ma maîtresse. Une brève liaison à laquelle elle a mis fin, redoutant d'être influencée. Une indépendance absolue : telle était son obsession.

– Quand avez-vous rompu ?

– Un mois avant cette réunion secrète.

178

— Les circonstances ?

— Un simple message sur ma boîte vocale, en termes précis et définitifs.

— L'avez-vous conservé ?

— Certes pas, inspecteur ! Cette humiliation ne m'a pas réjoui, et je me suis offert une bouteille entière de vodka, en me remémorant de bons moments. Et je n'ai jamais rappelé Kathleen.

— Pendant vos récents entretiens, votre position officielle n'a-t-elle pas été affaiblie ?

— Ce serait mal connaître Kathleen Silway ! Elle ne mélangeait pas sentiments et rigueur professionnelle. Dans le cours de sa carrière si bien réglée, je n'étais qu'un papillon à la brève existence.

— De quoi concevoir une profonde amertume, avança Higgins.

— Pas chez un Russe, inspecteur ! Une profonde nostalgie, je l'admets, car elle et moi méritions mieux ; le destin en a décidé autrement. Ce fut pourtant un temps fort de ma trajectoire et je n'avais pas envie de soulever le voile. La pudeur... Cette attitude vous surprendra, mais je tiens à cette valeur-là, si désuète soit-elle ; et ce fut la raison de mon silence.

Cette explication ne convainquit pas le superintendant, peu sensible aux effluves de l'âme slave ; ce Karnowski lui semblait de plus en plus douteux.

— Un détail nous intrigue, indiqua Higgins : Black Hat.

— Qu'est-ce qui vous préoccupe ?

— Seul un hacker de haut niveau a pu violer l'ordinateur de Kathleen Silway afin de découvrir son rapport ; n'appartenez-vous pas à cette catégorie, monsieur Karnowski ?

— Ne pas maîtriser l'informatique, de nos jours, c'est être sourd et aveugle.

— N'étiez-vous pas à Las Vegas, récemment, pour recueillir un maximum d'informations concernant les techniques qui permettent de briser n'importe quelle sécurité informatique ?

Waldemar Karnowski fixa Higgins.

— Qu'insinuez-vous, inspecteur ?

— Que vous aviez l'intention et la possibilité de pénétrer à l'intérieur de l'ordinateur de Kathleen Silway et de lire son rapport, en vous assurant qu'il n'était pas contraire à vos intérêts.

De l'index, le Russe massa sa tempe droite.

— Excellente déduction, inspecteur ; tels étaient bien mes projets.

Le superintendant s'approcha du suspect.

— Vous vous êtes introduit chez Mlle Silway, vous avez exploré son ordinateur, elle vous a surpris et vous vous êtes battus ; s'agirait-il d'un simple accident ?

Waldemar Karnowski regarda au plafond.

— Intéressante reconstitution... Si je n'avais pas ressenti autant d'estime à l'égard de mon ex-compagne, peut-être aurais-je agi ainsi. À Las Vegas, vérifiez-le, se trouvaient aussi Li Wan et Sigur Barjeson ; légitime souci professionnel, à l'heure où la technologie progresse à pas de géant. Ne pas s'informer en permanence est une faute professionnelle.

Scott Marlow insista.

— Accident ou crime, Karnowski ?

Le Russe ouvrit des yeux étonnés.

— Mais... Je l'ignore ! Et comment le saurais-je ?

Le superintendant espérait une intervention décisive de Higgins, lequel se contenta de prendre des notes.

— Puis-je me retirer ? demanda Waldemar Karnowski en se levant.

— Restez à notre disposition, exigea Marlow.

Tranquille, le Russe quitta la salle d'interrogatoire.

36

— Et si c'était lui ? proposa Marlow ; ce Russe est trop poli pour être honnête, il a un mobile et aurait pu agir !

— Il n'est pas le seul, objecta Higgins.

— Et si Karnowski s'était allié à la Chinoise ?

— Possible.

À l'évidence, malgré interrogatoires et investigations, Higgins semblait perdu ; les heures s'écoulaient très vite.

O'Connell réapparut, porteur d'une bouteille de brandy.

— La neige redouble, révéla-t-il, et Londres est bloquée ; impossible de quitter le coin. Vos suspects sont coincés, mais vous aussi ; je vous ai fait préparer des chambres. Confort sommaire, chauffage correct.

Le sergent remplit trois verres.

— Je vous amène un autre client ?

— Pas pour le moment, répondit Higgins.

— Alors, on dîne ! C'est prêt, et vous avez besoin de reprendre des forces.

Le téléphone antibrouillage du superintendant sonna.

— Oui, Marlow... Entendu, je m'en occupe... Et les résultats du labo ?... Qu'ils s'activent, bon sang !

À peine le superintendant terminait-il sa brève conversation qu'il composait un numéro.

— Babkocks a terminé ses recherches, expliqua-t-il ; je vous le passe.

La voix puissante du médecin légiste agressa l'oreille de l'ex-inspecteur-chef.

— J'ai mis du temps, mais il y avait de quoi ! Ta Kathleen Silway, ce n'était pas du gâteau ! Une belle brune comme ça, quel gâchis… À son âge, j'ai rarement vu des organes en si parfait état. Excellente hygiène de vie, un cœur qui pète le feu, un foie de compétition, et le reste à l'avenant ; dommage, vraiment dommage. Elle aurait dû vivre au moins cent vingt ans. Attrape-moi le salopard qui l'a tuée et fais-le pendre haut et court.

— Je ferai de mon mieux, assura Higgins. As-tu éclairci les circonstances du crime ?

— Honnêtement, j'ai patiné comme un débutant et j'ai cru que je n'y arriverai pas ! Et puis, grâce à un petit rouge rapporté de ma dernière cure à Bordeaux, la lumière a jailli. Il faut être objectif, Higgins : les Français sont des prétentieux, mais ils produisent du bon vin. Si l'Angleterre réussissait à reconquérir leur territoire, on le transformerait en paradis ; imagine, la France sans les Français ? Bon, revenons à notre Silway. Première certitude : elle n'a pas compris ce qui l'attendait, a pris conscience du danger au dernier moment, a tourné la tête et opposé une résistance désespérée, d'où l'angle d'impact de l'arme utilisée. Étant donné la violence du coup, Kathleen Silway a eu la tempe droite défoncée.

— Une mort rapide ?

— Quasi instantanée.

— Et l'assassin n'a pas laissé de traces ?

— Pas l'ombre d'une ! Du travail soigné.

— Autrement dit, suggéra Higgins, un professionnel.

— En tout cas, un méticuleux.

— Et cette arme, Babkocks ?

Une quinte de toux déchira le tympan de l'ex-inspecteur-chef ; il entendit le « flop » caractéristique d'un tire-bouchon à l'ancienne, celui d'un liquide versé, et retrouva le légiste.

— L'hiver, commenta ce dernier, on oublie de s'hydrater sous prétexte qu'il fait froid. J'en étais où, déjà ?

— À l'arme du crime.

— Bon Dieu de bon Dieu ! Dire que l'assassin a failli m'avoir... Ça me couperait presque l'appétit. Tu n'imagines pas à quel point j'ai scruté cette foutue plaie en éliminant une à une les possibilités, du marteau à la pierre en passant par le cul d'un ustensile.

— Le coup précis d'un adepte des arts martiaux ?

— J'y songeais, lorsque j'ai examiné le col du vêtement de la victime. Vu l'épaisseur du tissu, il restait une partie humide. Là, j'ai pigé ! Une affaire similaire, datant d'une vingtaine d'années ; une marchande de fripes avait épousé un vieux Lord richissime qui n'en finissait pas de mourir. Désireuse de jouir enfin de sa fortune avec son jeune amant, elle s'est débarrassée du gêneur mais a eu la malchance de tomber sur moi. Cette fille était une obsédée de sculptures en glace ne durant qu'un seul hiver ; et elle a utilisé une épée congelée afin de percer la nuque de son mari encombrant. L'arme fondue, le crime était parfait ! La coquine a commis une grave erreur en alertant trop vite la police à propos d'un accident mortel, et j'ai déniché un bout de glaçon entre deux vertèbres.

— Même résultat chez Kathleen Silway ?

— Malheureusement pas ! En tout cas, pas de doute : l'assassin s'est servi d'un gros bout de glace avec l'intention de défoncer le crâne de sa victime. Quand elle s'est rebiffée, il n'a pas perdu son sang-froid et a frappé très fort ; ça prouve une irrésistible envie de tuer.

— L'arme du crime a donc disparu ?

— Pas complètement, car j'ai analysé l'humidité du col ! Quelques heures plus tard, il n'en serait rien resté ; et je n'ai pas été déçu !

— Un élément insolite ?

— Une sacrée surprise ! Le glaçon utilisé n'était pas un vulgaire bloc d'eau congelé ; figure-toi que j'ai identifié des traces de méthane ! Pour du bizarre, c'est du bizarre.

— D'autres résultats ?

— Je t'ai tout raconté ; à mon avis, l'assassin est un sacré tordu.

— Tu m'as fourni des éléments essentiels, comme d'habitude.

— Bah ! C'est le métier... Ce soir, je détèle ; on m'a vanté les charmes d'une masseuse asiatique qui vous rajeunit de dix ans pendant cinq minutes. Bon courage, Higgins !

L'ex-inspecteur-chef remit le téléphone, produit technologique de pointe, au superintendant, impatient de connaître les résultats de l'autopsie.

— Tenons-nous le coupable ?

— Une vérification me paraît indispensable.

Le sergent O'Connell vida son verre de brandy.

— Mon flair me dit qu'on approche du but...

— Sigur Barjeson vous a-t-il confié un container en vous demandant d'en prendre grand soin ?

— Affirmatif.

— Où se trouve-t-il ?

— C'est un peu gênant...

Les gros yeux de Marlow dissipèrent les hésitations du sergent.

— À la cave, on a une chambre froide.

37

Au seuil de la chambre froide, le sergent O'Connell ne cacha pas son embarras.

– Normalement, les personnes étrangères au service ne sont pas admises à…

– Les pleins pouvoirs, rappela Marlow.

– Nous nous intéressons uniquement à ce container, précisa Higgins, apaisant ; le reste ne nous concerne pas.

Rassuré, O'Connell imprima la paume de sa main sur un écran et composa le code d'accès. La porte blindée coulissa, il pénétra à l'intérieur de la chambre froide et en ressortit rapidement, porteur d'un cylindre en acier long d'une cinquantaine de centimètres.

– Voici ce que m'a confié Barjeson.

– Allons le lui montrer, exigea Higgins.

*

* *

Le sexagénaire norvégien aux cheveux blonds coiffés en brosse et à la carrure d'athlète se détourna de son ordinateur et regarda les deux policiers.

– Pourquoi portez-vous mon container ? demanda-t-il, étonné, au superintendant.

— Veuillez l'ouvrir, demanda Higgins.

— N'y comptez pas ! protesta Sigur Barjeson de sa voix rocailleuse.

— Je me permets d'insister.

— Ceci est un témoignage scientifique d'une valeur inestimable, et je vous interdis d'y toucher !

— Seule Kathleen Silway était autorisée à l'utiliser, n'est-ce pas ?

Le Norvégien ôta ses lunettes à monture d'écailles et nettoya les verres.

— En effet, inspecteur.

— La carotte de glace protégée par cet écrin lui aurait prouvé l'existence d'un gisement de méthane sous les glaces du pôle Nord, si j'ai compris vos propos ?

— Vous m'avez compris.

— Je désire voir cette carotte, monsieur Barjeson.

— Je refuse !

— Soit vous déclenchez le mécanisme d'ouverture du container, proposa Higgins, soit nous nous en occupons nous-mêmes au risque de détruire le contenu.

— Sûrement pas !

— À votre guise.

Higgins et Marlow firent semblant de quitter l'appartement.

— Attendez !

Les deux policiers se retournèrent.

— C'est trop précieux, j'accepte.

Le superintendant posa le container sur la table du salon.

Sigur Barjeson souleva le taquet métallique, dégageant un minuscule clavier ; il tapa huit chiffres, et la porte supérieure de l'écrin métallique s'ouvrit.

Le regard du Norvégien chavira, il porta la main à son cœur.

– C'est... c'est impossible ! Regardez... Il est vide, la carotte a disparu !

– Ennuyeux, constata Higgins, très ennuyeux.

– Je pense bien ! Cette disparition est une catastrophe scientifique.

– Quand ce container a-t-il été déposé dans la chambre froide ?

Barjeson se concentra.

– Après les négociations, le lendemain de mon arrivée.

– Auparavant, il se trouvait donc dans votre appartement.

– Exact.

– L'avez-vous quitté un certain temps ?

– Deux ou trois fois... J'ai été convoqué à la conférence inaugurale de Kathleen Silway, j'ai visité la partie accessible du bunker et j'ai dîné à la salle de restaurant réservée aux invités à cette réunion secrète.

Livide, le Norvégien empoigna le container.

– Ma carotte... Qu'est devenue ma carotte ?

– L'ignorez-vous vraiment, monsieur Barjeson ?

L'interpellé parut stupéfait.

– Oui, évidemment !

– Cette évidence-là nous intrigue.

– Pour quelle raison, inspecteur ?

– Parce que cette carotte de glace a servi à tuer Kathleen Silway.

Pendant une longue minute, le Norvégien demeura figé.

– Ça n'a pas de sens, murmura-t-il enfin.

– C'est pourtant ainsi, monsieur Barjeson ; et vous vous retrouvez au premier rang des suspects.

– J'ai été victime d'un vol, inspecteur, d'un vol abominable !

La carapace du Norvégien éclata ; sous sa froideur apparente se cachait un tempérament plutôt agressif.

— N'êtes-vous pas l'amant de Sienna Batik ?

La question de Higgins désarçonna Sigur Barjeson.

— Qui... qui vous l'a dit ?

— Est-ce la vérité ?

— Et quand bien même ! M'était-il interdit de refaire ma vie ? Après tout, elle ne concerne que moi !

— Je n'en suis pas persuadé, objecta Higgins ; l'alliance entre la Norvège et le Danemark pourrait produire d'excellents résultats.

— Que sous-entendez-vous ?

— Ensemble, vous comptiez manipuler Kathleen Silway, et la contraindre à servir vos intérêts ; face à sa résistance, voire à ses critiques, vous avez constaté votre échec. Redoutant ses conséquences, vous avez décidé de la supprimer.

Abasourdi, Sigur Barjeson se laissa tomber sur son canapé.

— Vous... vous ne croyez pas à une telle abomination ?

— Si l'annonce de la mort de Mlle Silway n'a provoqué chez vous aucune émotion, n'est-ce pas parce que vous l'avez assassinée ?

Piqué au vif, le Norvégien se redressa, recouvrant sa froideur habituelle.

— La carotte de glace a été volée, je l'affirme de manière solennelle ; vos accusations sont intolérables et infamantes. Si vous avez décidé de m'inculper, produisez des preuves solides. Sinon mes avocats vous briseront les reins.

Prêt à l'affrontement, Marlow guetta la réaction de Higgins.

— Nous aviserons, monsieur Barjeson.

La tête haute, le Norvégien s'éclipsa.

38

Scott Marlow n'eut pas le temps de protester, car son téléphone lui signala un appel. Le responsable du laboratoire central désirait lui communiquer ses conclusions.

— Pas trop tôt ! Je vous écoute.

L'entretien dura plusieurs minutes, et le visage du superintendant ne témoigna pas d'une joie particulière.

— Si le temps s'améliore, je passerai au Yard demain ; gardez vos rapports au chaud et trouvez-moi un traducteur, bon sang !

— Des données intéressantes ? demanda Higgins.

— Pas grand-chose, hélas ! Le vin rouge était du médoc de qualité correcte, et l'huile d'olive un produit exceptionnel, une sorte de cru supérieur très rare. Quant au contenu de l'ordinateur de Li Wan, il est en chinois et nous cherchons un traducteur.

— Et la serrure ?

— Le technicien qualifié était en retard et ne l'étudie que depuis une heure ; il pense aboutir bientôt. On pourrait arrêter Barjeson, non ?

— Attendons ce dernier élément, recommanda Higgins ; n'auriez-vous pas une petite faim, mon cher Marlow ?

— Ma foi...

*
* *

Les invités à la réunion secrète avaient tous choisi de dîner dans leurs appartements, ne souhaitant visiblement pas se rencontrer au restaurant aménagé à leur intention. Manifestant un bel appétit, proche de celui du superintendant, O'Connell raconta quelques-uns de ses exploits guerriers, regrettant les moments chauds qu'il avait essuyés.

— Les balles qui vous sifflent aux oreilles, le sniper à débusquer, un bon assaut à l'aveuglette... Ça vous forme un homme !

La terrine de volaille était goûteuse, la soupe de poissons onctueuse, et le poulet au curry ne sortait pas d'un abattage industriel ; sans atteindre au sublime, le dîner des services secrets, accompagné d'un porto acceptable, n'était pas indigeste.

— Vous en êtes où ? s'inquiéta O'Connell.

— Nous progressons, affirma le superintendant.

— Quelle histoire de fous ! Assassiner la spécialiste du pôle Nord... On ne respecte plus personne. Côté interrogatoire, c'est fini pour ce soir ?

Marlow était persuadé du contraire ; Higgins n'en resterait pas là et triturerait le principal suspect.

— Je désire revoir Amandine Delafoy, déclara-t-il.

— La Française ? s'étonna O'Connell ; je me demande si elle a toute sa raison.

— Veuillez l'inviter à boire un digestif, sergent.

O'Connell s'acquitta de sa mission ; déconcerté, le superintendant ne s'attendait pas à cette attaque-là.

Les cheveux mouillés, vêtue d'une robe de chambre rose pâle, chaussée de mules orange, la jeune femme ne paraissait pas d'excellente humeur.

— J'étais occupée ! Qu'y a-t-il d'urgent ?

— Toujours le meurtre de Kathleen Silway, répondit Higgins, et j'ai encore besoin de votre témoignage.

– Je vous ai tout dit, inspecteur !

– Je ne crois pas, mademoiselle.

L'atmosphère s'alourdit brusquement.

– Vous… vous ne me croyez pas ?

– J'aimerais des informations complémentaires.

– À quel sujet ?

– Lors du déclenchement de l'alarme, vous êtes bien sortie la première de votre appartement ?

– En effet.

– Et vous avez observé le comportement des autres participants à cette réunion secrète ?

– Je l'avoue, j'ai ce don-là et j'aime à l'exercer.

– Asseyez-vous, je vous prie ; un doigt de porto ?

– Pourquoi pas ?

Marlow servit la Française qui lui semblait éminemment suspecte ; intriguée, elle s'assit du bout des fesses.

– Je fais appel à votre mémoire et à votre don d'observatrice, dit Higgins avec gravité ; pourriez-vous me décrire la *première* réaction des personnes présentes dans le couloir ?

Prenant au sérieux la demande de l'ex-inspecteur-chef, Amandine Delafoy savoura une goutte de porto et se concentra longuement afin de revivre au mieux ce moment particulier.

– Sigur Barjeson, le Norvégien, est resté d'une immobilité minérale ; Waldemar Karnowski, le Russe, a baissé la tête et regardé ses chaussures ; Dough Miglet, le Canadien, a trituré l'anneau qu'il porte à l'oreille gauche ; Berny Garanke, l'Américain, s'est gratté la tempe droite à plusieurs reprises ; Sienna Batik, la Danoise, a levé les yeux au plafond, à la recherche des détecteurs de fumée ; Li Wan, la Chinoise, a esquissé un geste curieux de la main gauche, une sorte de position d'attaque vite estompée.

Comme Amandine Delafoy s'était exprimée de façon posée, presque en détachant chaque mot, Higgins avait eu le temps de prendre des notes de son écriture fine et rapide.

— Satisfait, inspecteur ?

— Pas d'autre détail, mademoiselle ?

— Cette fois, ma mémoire est vide ; puis-je dormir en paix ?

Higgins hocha la tête.

D'un pas fatigué, la Française se retira ; Marlow l'appréciait de moins en moins.

L'ex-inspecteur-chef referma son carnet noir en moleskine et le maintint une dizaine de secondes à la hauteur de ses yeux ; le superintendant se demanda s'il cherchait à discerner un indice déterminant, en évitant les fausses pistes. Ne se multipliaient-elles pas depuis le début de l'enquête et le coupable n'essayait-il pas de les manipuler ?

— C'est pas tout ça, intervint O'Connell ; un petit cognac, et au lit ; demain matin, Mr. Smith va nous tanner le cuir.

Le téléphone de Marlow vibra.

Le laboratoire informatique de Scotland Yard.

— Ah, enfin… Vous l'avez ?… Superbe !… Évidemment, j'écoute… Répétez !… Bonne nuit.

Scott Marlow jubilait.

— Le gros lot, annonça-t-il ; la serrure de la porte de Kathleen Silway a été décryptée et nous avons le numéro de code composé quelques minutes avant sa mort, autrement dit celui de son dernier visiteur, donc de son assassin.

39

— Bon Dieu, s'exclama O'Connell, joli travail !

— Voici le numéro de code, énonça le superintendant :
37043. À qui l'avez-vous attribué ?

— Au Canadien Dough Miglet. Votre enquête est terminée, messieurs ; cette erreur-là a trahi l'assassin. Je vous
l'amène pour qu'il se confesse ?

— Je vous accompagne, décida Marlow, soulagé.

Grâce à la technologie, la vérité venait d'éclater ; cette
fois, Higgins n'aurait pas à utiliser son intuition.

Silencieux, l'ex-inspecteur-chef attendit le retour du superintendant et du sergent, accompagnant un Dough Miglet
irrité.

— Ça signifie quoi, cette convocation ? Je vous préviens,
je commence à en souper de vos manières et je n'entends
pas être traité comme du bétail !

— Calmez-vous, recommanda Higgins, et buvez un peu
de brandy.

La tête carrée du cinquantenaire dodelina ; il s'assit et
accepta un verre. Méfiants, Marlow et O'Connell continuèrent à l'encadrer, redoutant des réactions violentes.

— Si vous avez une question à me poser, éructa le Canadien, allez-y ! Je réponds si je veux et je regagne mes pénates.

— Votre numéro de code servant à ouvrir la porte de votre appartement ?

— 37043.

— L'avez-vous communiqué à quelqu'un ? demanda Scott Marlow.

— Sûrement pas !

— Je vous arrête, monsieur Miglet.

Le visage du Canadien s'empourpra.

— M'arrêter, moi ? Et pourquoi ?

— Vous êtes l'assassin de Kathleen Silway.

— Vous êtes devenus fous, à Scotland Yard !

Miglet se leva, prêt à en découdre ; ni Marlow ni O'Connell ne reculèrent, décidés à empêcher le coupable de s'enfuir.

— Nous détenons une preuve, déclara Higgins.

Cette déclaration stoppa l'élan du Canadien ; interloqué, il contempla l'ex-inspecteur-chef.

— Une plaisanterie sinistre, je suppose ?

— Nos services techniques ont établi, de manière irréfutable, que ce code a été utilisé, quelques minutes avant l'assassinat de Kathleen Silway, pour lui demander d'ouvrir sa porte.

— Elle vous a identifié, poursuivit Marlow, et elle a accepté de vous recevoir, ignorant que vous veniez la supprimer.

Dough Miglet parut hébété.

— C'est faux… Complètement faux ! Qu'est-ce que vous essayez de me mettre sur le dos ?

— Racontez-nous votre crime, exigea le superintendant.

Miglet bondit et attrapa Marlow par le revers de sa veste ; aussitôt, le sergent O'Connell lui faucha les jambes d'un violent coup de pied, et le Canadien se retrouva au sol.

— Ou vous vous tenez tranquille, exigea Marlow, ou je vous passe les menottes.

– Ça va, ça va ! On peut s'expliquer, non ?

L'accusé se releva avec peine et s'assit lourdement.

– Donnez-moi à boire quelque chose de fort.

O'Connell extirpa de sa réserve un tord-boyaux à l'étrange couleur verte. Le Canadien vida son verre cul sec.

– Ignoble… Ignoble, comme vos divagations !

– Le mobile du crime est établi, estima le superintendant. Officiellement, vous vouliez exploiter les réserves de pétrole cachées sous les glaces du Pôle ; officieusement, prélever en fraude les diamants. Soit vous avez tenté d'acheter Kathleen Silway, soit elle a découvert vos malversations ; dans les deux cas, une seule solution : la supprimer.

Miglet tapa du poing sur la table.

– Je vous le répète, c'est faux !

– Avez-vous agi seul ou un complice, votre ami Garanke, vous a-t-il aidé ?

– Un complice…

– Vous ne pouvez nier avoir utilisé votre code pour solliciter une entrevue avec Mlle Silway, peu avant 21 h 30, le soir du crime.

– Je le nie, et plutôt dix fois qu'une !

– Si vous ne mentez pas, intervint Higgins, comment interpréter les faits ?

– On m'a piégé ! C'est évident, non ?

– Assez de simagrées, Miglet ; vous feriez mieux d'avouer.

– Je suis innocent !

– Je ne vous comprends pas ; pourquoi refuser l'évidence ?

– On m'a piégé, répéta le Canadien ; à vous de trouver le véritable assassin ! À partir de maintenant, je ne dirai plus un mot.

– À votre guise, Miglet ; cette nuit, vous serez enfermé dans votre chambre et, dès que possible, nous vous conduirons à Scotland Yard afin de vous signifier votre inculpation. Sergent O'Connell, à vous de jouer.

L'interpellé convoqua deux vigiles et le trio emmena Dough Miglet, mâchoires serrées.

Scott Marlow se resservit un brandy.

— Ouf, c'est terminé ! La police scientifique n'a pas que du mauvais, Higgins, et nous sortons de l'ornière.

— Je l'espère, superintendant.

Ce manque d'enthousiasme inquiéta Marlow.

— Auriez-vous des doutes ?

— Des détails me chiffonnent, et je souhaite les éclaircir avant de me forger une opinion définitive.

Connaissant son collègue, le superintendant ne tenta pas d'obtenir davantage de précisions ; quelles que fussent les circonstances, Higgins ne renoncerait pas.

— Et… Ça prendra du temps ?

— J'aurai terminé demain midi.

Marlow se détendit ; étant donné les caprices de la météo, ce délai n'avait rien d'inquiétant.

Bombant le torse, O'Connell réapparut.

— Je vous garde Miglet au frais, affirma-t-il ; il n'a aucune chance de s'échapper. Et vos chambres sont prêtes, messieurs.

— Je dois passer un certain temps chez Kathleen Silway, déclara Higgins, provoquant l'étonnement de Marlow et de O'Connell. Auparavant, j'aimerais examiner votre local réservé aux poubelles, à condition qu'elles n'aient pas été vidées depuis la soirée du meurtre.

— À cause de la tempête de neige, impossible !

— Le ciel est peut-être avec nous, avança Higgins.

40

Équipé de gants en plastique épais, Higgins pria les agents de nettoyage du bunker de déverser sur des bâches le contenu des poubelles provenant des appartements qu'occupaient les invités à la réunion secrète, sans oublier celui de Kathleen Silway.

La tâche n'était pas ragoûtante ; portant un masque de chirurgien, l'ex-inspecteur-chef n'hésita pas à plonger dans les déchets, allant des mouchoirs en papier à des flacons de parfums vides en passant par des rasoirs jetables et des détritus alimentaires.

— Puis-je vous aider ? interrogea Marlow.

— Ce ne sera pas nécessaire.

Bien entendu, Higgins ne consentait pas à décrire l'objet qu'il recherchait, de peur d'échouer, à moins qu'il ne partît à l'aveuglette en espérant un miracle.

Lourdeurs à l'estomac, migraine, jambes fatiguées… le superintendant luttait contre le sommeil.

— Allez dormir, recommanda l'ex-inspecteur-chef ; nous ferons le point demain matin.

— Vous êtes sûr que…

— Bonne nuit, mon cher Marlow.

La petite lueur qu'avait entrevue Higgins se transformerait-elle en lumière éblouissante ? L'indice qui lui avait été offert en était-il vraiment un, ne s'abusait-il pas, ne suivait-il pas une piste inexistante ? Si l'examen des ordures ne procurait pas de résultat, il manquerait un élément essentiel du puzzle, et l'embryon de théorie serait anéanti.

Un grain de sable… Seul un grain de sable pouvait expliquer l'erreur minime de l'assassin dont le plan avait été exécuté de façon minutieuse.

La fameuse aiguille dans une botte de foin : voilà ce que recherchait Higgins, avec un mince espoir de succès. Patient, méticuleux, il ne compterait pas les heures.

Son obstination fut couronnée de succès, et le bout de métal fracassé le récompensa de ses efforts.

Une inquiétude, cependant !

Higgins se hâta de rejoindre le sergent O'Connell, occupé à rédiger un rapport.

— La sécurité de Mlle Delafoy est-elle assurée ? demanda l'ex-inspecteur-chef.

— Comme celle des autres.

— Insuffisant ; assurons-nous qu'elle est indemne et placez deux vigiles devant sa porte.

*

* *

Réveillée, la Française avait vigoureusement protesté avant de regagner son lit ; rassuré, Higgins explorait à présent la dernière demeure de Kathleen Silway, avec une idée en tête : le rapport que devait rédiger sa compatriote était le but de sa vie et le couronnement de sa carrière. Donc, elle le préparait depuis des années, l'affinait au fil des mois et comptait sur cette réunion secrète pour lui apporter une touche finale, en fonction des arguments et des dossiers des uns et des autres dont elle connaissait forcément l'essentiel.

Qu'attendait-elle, sinon un élément réellement nouveau, étayé par des preuves indiscutables qui l'auraient obligée à modifier son texte ?

Connaissant les compétences et la détermination de Kathleen Silway, l'assassin avait compris qu'elle ruinerait les intérêts qu'il représentait et qu'il fallait la réduire au silence. Pas de rapport, pas de discours, pas de prise de conscience des instances internationales, le maintien apparent du statu quo, et la guerre visant à la conquête du pôle Nord se poursuivrait, au gré des coups tordus.

Une seule personne pensait que la scientifique britannique avait terminé son travail : la Chinoise Li Wan. Si elle ne se trompait pas, où était caché ce texte tant redouté ?

À l'évidence, au sein d'une mémoire d'ordinateur ; et cette évidence-là, Kathleen Silway s'en était méfiée. Persuadée, à juste titre, que nulle sécurité informatique n'était inviolable, elle avait choisi un refuge beaucoup plus sûr.

Si le trésor existait, il était dissimulé dans cet appartement, à un endroit que l'assassin n'avait pas eu le temps de repérer, et sous une forme inattendue. Étant donné l'importance de sa mission, la spécialiste du pôle Nord se savait menacée par de redoutables adversaires, prêts à détruire un travail qui leur aurait déplu ; peut-être n'imaginait-elle pas que l'un d'eux avait décidé de la supprimer. Ce rapport était devenu son testament.

Higgins passa au peigne fin les pièces de l'appartement et son mobilier. Il souleva les coussins, tâta la moquette, déplaça le canapé et les fauteuils, explora les placards et la penderie, examina les vêtements un à un, jeta un œil sous le lit et feuilleta les dossiers de la défunte. Rien d'anormal dans ce décor anonyme où une personnalité d'exception avait vécu ses derniers moments.

Rien, sauf un document de grande valeur, le livre de bord du *Hecla*, le vaisseau de guerre de la Royal Navy qui avait séjourné pendant deux hivers au cœur du bassin de Foxe, au nord du Canada.

Pourquoi Kathleen Silway s'intéressait-elle à ce texte, au point de ne pas s'en séparer lors de la réunion secrète ?

Higgins s'installa dans la cuisine, à l'endroit où la scientifique avait été assassinée, de manière à entrer en contact avec son esprit ; ne continuerait-il pas à souffrir et à errer jusqu'à ce que la vérité fût établie et l'assassin arrêté ? L'ex-inspecteur-chef tenait à offrir une paix véritable à cette victime pour laquelle il éprouvait de l'estime. Quels que fussent les risques, elle désirait aller au terme de sa quête, et seul un assassin l'en avait empêchée.

Lui permettre de triompher au-delà de la mort impliquait d'exhumer son éventuel rapport.

Higgins lut le journal de bord, relatant les journées de souffrance et d'angoisse, face à une nature d'une particulière violence ; le capitaine notait les évolutions du temps, les événements quotidiens et se montrait d'un calme très militaire devant l'adversité.

Une détermination ressemblant à celle de Kathleen Silway.

Cette lecture renforça la conviction de Higgins : cette relique contenait l'une des clés de l'énigme, il devait la retrouver.

Higgins scruta le journal de bord page après page, à la recherche d'une anomalie, par exemple une annotation de Kathleen Silway.

Échec.

En palpant l'ouvrage, une bizarrerie.

L'épaisse reliure de cuir présentait une notable différence entre la couverture et le revers ; s'emparant d'un couteau, il se résolut à opérer une entaille et aperçut des feuillets.

Dix feuillets couverts d'une écriture parfaitement lisible, signés Kathleen Silway et datés du jour de son assassinat.

Un titre : « Décisions à prendre pour garantir l'avenir du pôle Nord, de la banquise et de l'océan Arctique ».

Higgins fut le premier lecteur du rapport de la défunte, l'œuvre d'une vie tranchée de façon brutale. Surmontant son émotion, il y décela des éléments renforçant son intuition.

41

Higgins tapa doucement sur l'épaule du sergent O'Connell, assoupi à côté d'un verre de rhum.

— Ah, vous avez fini...

— J'aimerais une précision.

O'Connell se frotta les yeux.

— D'accord...

— Est-ce vous qui avez décidé de l'attribution des numéros de code des appartements ?

— Affirmatif.

— Étiez-vous le seul à détenir la liste complète ?

— Négatif, il y avait aussi Kathleen Silway.

— Où se trouve votre propre liste ?

— Dans mon ordinateur sécurisé.

— Disposez-vous d'un pâtissier ?

La question étonna le sergent.

— Auriez-vous envie d'une douceur ?

L'ex-inspecteur-chef remit à O'Connell une liste de gâteaux à préparer.

— Merci de les servir au déjeuner.

— Autre chose ?

— Soyez aimable de me conduire à ma chambre.

Le sergent n'était pas mécontent d'accomplir cette dernière tâche et de goûter un repos bien mérité ; sa montre marquait trois heures du matin.

*

* *

Émergeant d'un sommeil lourd, Scott Marlow but un triple café en compagnie d'un O'Connell également embrumé.

— Londres est toujours paralysée, indiqua le sergent ; la neige ne cessera pas de tomber avant ce soir, et nos invités sont cloués ici.

« Excellente nouvelle », pensa le superintendant auquel le ciel accordait un délai supplémentaire.

Higgins le rejoignit à neuf heures et apprécia le café préparé par O'Connell ; en dépit d'un bref moment de répit, en grande partie consacré à la mise au point de son argumentation, l'ex-inspecteur-chef avait un visage serein et fleurait bon une eau de toilette à base de chèvrefeuille.

— Le pâtissier est au travail, annonça O'Connell ; les gâteaux seront prêts à midi.

— Parfait, sergent ; superintendant, veuillez rassembler les suspects dans la salle à manger à onze heures. Vous leur offrirez un apéritif et leur annoncerez qu'ils pourront quitter le bunker dès que le temps le permettra.

Marlow blêmit.

— Vous voulez dire... que nous les relâchons tous ?

— Tous, sauf l'assassin.

— Avez-vous obtenu une certitude, Higgins ?

— J'ai passé une grande partie de la nuit à mettre en place les morceaux du puzzle, et il ne me manque qu'une pièce, mais décisive.

Le téléphone de Marlow grésilla.

La conversation fut brève.

— Un traducteur a étudié le contenu de l'ordinateur de Li Wan : uniquement des textes consacrés aux canards de la NASA. Pas de trace du rapport de Kathleen Silway.

— Point important, précisa Higgins : que pas un seul suspect ne sorte de la salle à manger, sous aucun prétexte.

Le superintendant osa questionner son collègue.

— À quoi serez-vous occupé ?

— À explorer certains appartements, en espérant y découvrir le dernier morceau du puzzle. Sans lui, pas de preuve formelle.

« Autrement dit, s'angoissa Marlow, la partie est loin d'être gagnée. »

— Et si l'assassin l'a détruit, pourrons-nous quand même l'arrêter ?

— Malheureusement non.

Le superintendant imaginait déjà le scandale et la catastrophe.

Higgins s'adressa au sergent.

— Le bunker est-il équipé d'un laboratoire ?

— On a le matériel de base.

— Un technicien de valeur est-il présent ?

— Un jeune génie d'Oxford, de permanence jusqu'à ce soir.

Pour un ancien de Cambridge comme Higgins, le détail était irritant, mais nécessité faisait loi.

— Soyez ferme, mon cher Marlow, insista l'ex-inspecteur-chef : tous les suspects doivent être présents à l'apéritif de onze heures et aucun ne doit s'éclipser. Sergent O'Connell, que vos vigiles prêtent main-forte à mon collègue.

— Soyez tranquille, on veillera au grain.

*
* *

204

Avec autorité, le superintendant convoqua un à un les suspects en affirmant que ce rendez-vous serait l'occasion de leur annoncer de bonnes nouvelles. Ces propos déclenchèrent l'optimisme, et personne ne fut en retard.

Le buffet était accueillant : whisky, porto, jus de fruits, pistaches, amandes, noix de cajou. Convivial, Marlow évoqua le mauvais temps et les lenteurs administratives, ultimes obstacles à la libération des éminents spécialistes désireux de retourner chez eux ; le déjeuner d'adieu serait célébré dès le retour de l'inspecteur Higgins, occupé à régler les dernières formalités.

À la question de la Française Amandine Delafoy, préoccupée de savoir si l'assassin avait été identifié, Marlow répondit que les investigations de Scotland Yard étaient sur le point d'aboutir. Satisfaction, scepticisme, inquiétude… Divers sentiments traversèrent l'assemblée, et les conversations allèrent bon train à propos de Kathleen Silway et de son fameux rapport ; seule la Chinoise Li Wan se garda d'intervenir.

*

* *

Grâce au code fourni par O'Connell, Higgins pouvait pénétrer dans tous les appartements. À l'approche du but, il utilisa de vieilles techniques apprises en Orient afin de maîtriser son souffle et de garder un calme parfait.

S'il avait correctement perçu la stratégie de l'assassin et l'un des traits fondamentaux de son caractère, la preuve du crime était à sa portée. Certes, la météorologie avait joué un rôle déterminant ; encore fallait-il avoir prêté attention à un infime détail, pourtant lumineux !

Une seule chambre intéressait Higgins, une seule penderie. Et la preuve était là.

42

L'apparition de Higgins, muni d'un sac noir, attira les regards et fit cesser les conversations.

— Merci de votre patience, déclara-t-il ; avant votre départ, nos services sont heureux de vous offrir un déjeuner de gala que couronneront des desserts personnalisés. Cette petite surprise est-elle prête, sergent ?

— Affirmatif.

O'Connell appela un auxiliaire qui poussa devant lui un chariot de pâtisseries.

— Pour vous, mademoiselle Delafoy, un paris-brest crémeux à souhait ; pour monsieur Miglet, un beignet au sirop d'érable ; pour monsieur Karnowski, un gâteau au séré[1] et aux raisins secs qui se mange uniquement à Noël ; pour mademoiselle Batik, une pâte feuilletée ornée de pommes et de confiture ; pour monsieur Garanke, des cookies truffés de pépites de chocolat ; et pour monsieur Barjeson, une omelette norvégienne qui mêlera la glace et le feu. Le Nouvel An chinois étant éloigné, mademoiselle Wan, je

---

1. Fromage à pâte fraîche fabriqué en Suisse à partir du petit-lait. Le lait écrémé servait à produire du fromage maigre, et le résidu, le petit-lait, à faire du séré.

vous prie d'accepter une spécialité britannique, un plum-pudding.

L'Asiatique inclina la tête, la Française se frotta les mains, la Danoise eut un œil gourmand, le Russe parut indifférent, le Canadien ronronna, l'Américain tâta les cookies et le Norvégien garda une immobilité minérale.

— Portons un toast à la vérité, recommanda Higgins.

O'Connell remplit les verres.

— À la vérité ! clama Marlow en levant le sien.

Les convives l'imitèrent, plus ou moins bruyamment ; Higgins posa son sac.

— Le moment est venu de la dévoiler, annonça l'ex-inspecteur-chef, semant un trouble certain auquel succéda un profond silence.

Marlow pria le dieu des policiers d'accorder à son collègue une juste vision.

— Vous avez tous déclaré que Kathleen Silway était une femme compétente, incorruptible et rigoureuse dont personne ne savait percer les intentions ; personne, sauf vous, monsieur Karnowski.

Vêtu d'une ample chemise noire en soie et d'un pantalon de flanelle d'une parfaite élégance, le Russe croisa les bras.

— C'est m'accorder trop d'honneur, inspecteur.

— Vous avez été son amant, et l'intensité de votre liaison vous a certainement permis de connaître son idéal et sa manière de penser.

— Supposition gratuite, inspecteur !

— Supprimer Kathleen Silway impliquait un plan conçu de longue date et des connaissances informatiques de très haut niveau ; en effet, il fallait briser les sécurités de l'ordinateur de la victime, du container de Sigur Barjeson contenant une carotte de glace et obtenir les codes des appartements. Bref, seul un hacker à la pointe de la technologie était capable d'agir, un hacker participant à des réunions de pirates de l'informatique comme le Black Hat. En nous offrant un indice incitant à vous soupçonner, monsieur Karnowski, vous vous placiez sur la liste des suspects ; manœuvre habile, car un profil inattaquable nous aurait intrigués. Et vous n'avez pas manqué de signaler que Sigur Barjeson et Li Wan étaient, eux aussi, des experts en informatique.

— Je ne comprends pas où vous souhaitez en venir, déclara le Russe, impassible.

— Au déroulement de l'assassinat. À 21 h 25, vous avez saboté les caméras de surveillance puis, en utilisant le code 37043 de Dough Miglet obtenu en pénétrant dans l'ordinateur de O'Connell, de façon à faire accuser le Canadien, vous avez sollicité un entretien avec Kathleen Silway. Elle vous a ouvert sa porte, alors qu'elle se préparait à dîner, et a été surprise de vous voir, vous qu'elle aimait encore ; comment aurait-elle pu supposer que vous alliez la tuer en utilisant une carotte de glace ?

— Effroyable récit, inspecteur ; j'en frissonne presque.

— Deux grains de sable ont détraqué votre belle mécanique. Le premier fut l'ultime moment de lucidité de Kathleen Silway ; elle ne parvint pas à éviter le coup fatal, mais sa pauvre résistance ne fut pas inutile, puisque en se défendant, elle a renversé une bouteille d'huile et une autre de vin. Second grain de sable : l'alarme incendie déclenchée par Mlle Wan qui ne vous a pas laissé le temps de nettoyer. De plus, le cadavre a été découvert trop vite, et le médecin légiste a identifié l'arme du crime.

— Une simple question, inspecteur : auriez-vous une preuve ?

Higgins se tourna vers O'Connell.

— Sergent, veuillez introduire votre chimiste.

Armé d'un microscope de la dernière génération, le technicien d'Oxford se prépara à intervenir.

— Vous avez joué de malchance, monsieur Karnowski, et le destin vous a empêché de commettre le crime parfait. En tentant de se défendre, Kathleen Silway a renversé de l'huile et du vin sur vos vêtements, surtout sur votre magnifique ceinture à la boucle en or massif que vous étiez si fier de porter. À cause de l'alarme incendie, vous n'avez pas eu le temps de la nettoyer, même sommairement, et vous avez changé de pantalon et de ceinture. Un grand voyageur comme vous redoute les maladresses d'une hôtesse ou d'un steward et, lors de ses déplacements, remplace l'or par du laiton. L'or véritable ne scintille pas, le laiton si. Et c'est le sens de l'observation de Mlle Delafoy qui m'a mis sur le bon chemin ; elle a remarqué que, dans le couloir, juste après le crime, votre boucle de ceinture brillait sous l'effet de la lumière. Du laiton, pas de l'or.

Du sac noir, Higgins sortit un morceau de métal fracassé.

— Ne pouvant sortir du bunker, vous vous en êtes débarrassé en la jetant aux ordures.

Le Russe sourit.

— C'est cela, votre preuve ?

— Selon Mlle Delafoy, votre première réaction, après le meurtre, consista à regarder vos chaussures. Une petite erreur de sa part : pas vos chaussures, mais votre boucle de ceinture, car vous avez cru qu'elle avait repéré une anomalie.

Higgins regarda la Française.

— Vous l'avez échappé belle, mademoiselle ; soyez certaine que Waldemar Karnowski attendait la première occasion pour vous supprimer.

Amandine Delafoy tourna de l'œil et tomba dans les bras de Marlow qui lui tapota les joues.

— Élégant, raffiné, homme de goût, attaché à des vêtements de grand prix, poursuivit Higgins en tournant autour du Russe, vous utilisez du savon au fiel de bœuf, produit remarquable contre les taches grasses. Ce constat m'a donné un espoir : vous espériez nettoyer votre ceinture à la boucle d'or, un petit chef-d'œuvre de grande valeur que vous n'aviez pas envie de détruire. Lors de notre première entrevue, elle n'était pas encore présentable, et vous en portiez une autre, à la boucle en argent massif ; depuis, comme maintenant, vous avez choisi d'amples chemises masquant votre ceinture.

Le sourire de Karnowski disparut.

— Voici la preuve dit Higgins en sortant du sac noir une magnifique ceinture : tresses de soie grenat sur cuir et boucle en or massif. Je l'ai trouvée dans votre penderie, précisa l'ex-inspecteur-chef. L'huile d'olive qu'utilisait Kathleen Silway était un grand cru, tout à fait exceptionnel, à la composition caractéristique ; malgré son efficacité et plusieurs tentatives de nettoyage, je doute que le savon au fiel de bœuf ait effacé toute trace.

Higgins confia l'objet au technicien d'Oxford dont l'examen parut interminable.

— Taches identifiables et analysables, conclut-il.

D'un calme surprenant, Waldemar Karnowski se servit un verre de porto blanc.

— J'avais un travail à faire, je l'ai fait. Cette folle de Silway n'a pas eu le temps de rédiger son rapport, voilà l'essentiel.

— Vous vous trompez.

Le visage de l'assassin devint d'une dureté qui fit frémir l'assistance.

– Son ordinateur était vide !

Du sac noir Higgins sortit les feuillets.

– Votre crime est un échec, Karnowski, et le rapport de Kathleen Silway, en raison de sa fin tragique, aura un retentissement encore plus considérable que prévu.

– C'est… c'est un faux !

– Manuscrit daté et signé. Reste un détail à éclaircir : qui êtes-vous vraiment ?

Les yeux de Karnowski lancèrent des éclairs.

– Vous jouez au Russe, précisa Higgins, mais vous ne l'êtes pas.

– Comment le savez-vous ?

– Le gâteau au séré et aux raisins secs, symbole d'abondance et de bonheur éternel, se mange uniquement à Pâques et non à Noël ; un vrai Russe ne serait pas tombé dans ce petit piège.

Waldemar Karnowski but son porto avec distinction.

– Il y a eu des grains de sable, je le reconnais, mais je les avais envisagés et j'étais certain de m'en accommoder ; en revanche, je ne m'attendais pas à croiser la route d'un redoutable joueur d'échecs engagé par Scotland Yard. Tout, ou presque, avait été prévu ; sauf vous, inspecteur Higgins.

– Je repose ma question : qui êtes-vous ?

– Personne, inspecteur.

La voix d'outre-tombe glaça l'assemblée.

– Je plaiderai le crime passionnel, d'excellents avocats me défendront et ma peine sera légère. Pendant ma détention, un autre prendra ma place, et personne n'atteindra jamais nos employeurs ; sans eux, vous n'auriez ni pétrole, ni gaz, ni électricité, ni eau potable, ni ordinateurs, ni médicaments, et l'humanité retournerait à l'âge de pierre. Grâce à moi et à mes semblables, le monde fonctionne ; et les fauteurs de troubles, telle Kathleen Silway, doivent être éliminés. Ceci est mon ultime déclaration, inspecteur ; la parole appartient désormais à mes défenseurs.

— Épilogue —

La neige ayant cessé de tomber et les routes étant de nouveau praticables, Marlow fut heureux de reconduire Higgins à The Slaughterers ; ravie de respirer l'air de la campagne, la vieille Bentley prouva sa capacité de résistance aux conditions hivernales qui envoyaient dans le fossé quantité de véhicules modernes aux prétentieux suréquipements.

— Cet assassin ne va quand même pas s'en tirer à bon compte ! s'indigna Marlow.

— Depuis que le droit a remplacé la justice, observa Higgins, on ne saurait jurer de rien. En révélant la vérité, nous avons fait notre devoir, superintendant ; simple goutte d'eau dans l'océan, mais l'assurance, pour l'âme de la défunte, de reposer en paix.

Higgins avait évité un scandale ; on étoufferait les querelles internationales et l'on se contenterait d'un banal drame passionnel, sans grand écho.

— Dites bien à Mary que vous utilisez ses produits afin de lutter contre la froidure, recommanda Higgins à son collègue ; elle nous aura préparé l'un de ces ragoûts dont elle a le secret.

Marlow en salivait déjà ; Higgins, lui, commençait à ressentir une irritation des bronches. Comme d'habitude, la prédiction de Mary se réalisait.

Un beau ciel bleu illuminait une campagne enneigée, l'air pur oxygénait le moteur de la vieille Bentley.

– Ce fameux rapport… L'avez-vous lu ?

– Kathleen Silway s'opposait fermement à tous les projets d'exploitation du pôle Nord, révéla Higgins, et n'accordait la suprématie à aucun des pays demandeurs. Aussi préconisait-elle une mise à plat des problèmes et une vision globale de cette région vitale, en précisant les noms d'un certain nombre de responsables capables de dialoguer. En somme, un gel de la situation actuelle et la préparation d'un avenir non destructeur.

– Au moins, estima le superintendant, cette malheureuse n'est pas morte en vain et a sauvé le Pôle pour quelque temps.

– Certes, mon cher Marlow ; mais je crois que la planète, elle, a perdu le nord.

ŒUVRES DE CHRISTIAN JACQ

Romans

L'Affaire Toutankhamon, Grasset (prix des Maisons de la Presse).
Barrage sur le Nil, Robert Laffont.
Champollion l'Égyptien, J Éditions.
Le Dernier Rêve de Cléopâtre, XO Éditions.
L'Empire du pape blanc (épuisé).
Et l'Égypte s'éveilla, XO Éditions :
  * *La Guerre des clans.*
  ** *Le Feu du scorpion.*
  *** *L'Œil du faucon.*
Imhotep, l'inventeur de l'éternité, XO Éditions.
Le Juge d'Égypte, Plon :
  * *La Pyramide assassinée.*
  ** *La Loi du désert.*
  *** *La Justice du vizir.*
Maître Hiram et le roi Salomon, XO Éditions.
Le Moine et le Vénérable, Robert Laffont.
Mozart, XO Éditions :
  * *Le Grand Magicien.*
  ** *Le Fils de la Lumière.*
  *** *Le Frère du Feu.*
  **** *L'Aimé d'Isis.*
Les Mystères d'Osiris, XO Éditions :
  * *L'Arbre de vie.*
  ** *La Conspiration du mal.*
  *** *Le Chemin du feu.*
  **** *Le Grand Secret.*
Néfertiti l'Ombre du Soleil, XO Éditions.
Le Pharaon noir, Robert Laffont.
La Pierre de Lumière, XO Éditions :
  * *Néfer le Silencieux.*
  ** *La Femme sage.*
  *** *Paneb l'Ardent.*
  **** *La Place de Vérité.*

Pour l'amour de Philae, Grasset.
Le Procès de la momie, XO Éditions.
La Prodigieuse Aventure du lama Dancing (épuisé).
Que la vie est douce à l'ombre des palmes (nouvelles), XO Éditions.
Ramsès, Robert Laffont :
  * *Le Fils de la lumière.*
  ** *Le Temple des millions d'années.*
  *** *La Bataille de Kadesh.*
  **** *La Dame d'Abou Simbel.*
  ***** *Sous l'acacia d'Occident.*
La Reine Liberté, XO Éditions :
  * *L'Empire des ténèbres.*
  ** *La Guerre des couronnes.*
  *** *L'Épée flamboyante.*
La Reine Soleil, Julliard (prix Jeand'Heurs du roman historique).
Toutankhamon, l'ultime secret, XO Éditions.
La Vengeance des dieux, XO Éditions :
  * *Chasse à l'homme.*
  ** *La Divine Adoratrice.*

Ouvrages pour la jeunesse

Contes et légendes du temps des pyramides, Nathan.
La Fiancée du Nil, Magnard (prix Saint-Affrique).
Les Pharaons racontés par..., Perrin.

Essais sur l'Égypte ancienne

L'Égypte ancienne au jour le jour, Perrin.
L'Égypte des grands pharaons, Perrin (couronné par l'Académie française).
Les Égyptiennes. Portraits de femmes de l'Égypte pharaonique, Perrin.
Les Grands Sages de l'Égypte ancienne, Perrin.
Initiation à l'Égypte ancienne, MdV Éditeur.
La Légende d'Isis et d'Osiris, ou la Victoire de l'amour sur la mort, MdV Éditeur.

Les Maximes de Ptah-Hotep. L'enseignement d'un sage du temps des pyramides, MdV Éditeur.

Le Monde magique de l'Égypte ancienne, XO Éditions.

Néfertiti et Akhénaton, le couple solaire, Perrin.

Paysages et paradis de l'autre monde selon l'Égypte ancienne, MdV Éditeur.

Le Petit Champollion illustré, Robert Laffont.

Pouvoir et sagesse selon l'Égypte ancienne, XO Éditions.

Préface à : Champollion, *Grammaire égyptienne*, Actes Sud.

Préface et commentaires à : Champollion, *Textes fondamentaux sur l'Égypte ancienne*, MdV Éditeur.

Rubriques « Archéologie égyptienne », dans le *Grand dictionnaire encyclopédique*, Larousse.

Rubriques « L'Égypte pharaonique », dans le *Dictionnaire critique de l'ésotérisme*, Presses universitaires de France.

La Sagesse vivante de l'Égypte ancienne, Robert Laffont.

La Tradition primordiale de l'Égypte ancienne selon les Textes des Pyramides, Grasset.

La Vallée des Rois. Histoire et découverte d'une demeure d'éternité, Perrin.

Voyage dans l'Égypte des pharaons, Perrin.

Autres essais

La Flûte enchantée de W. A. Mozart, traduction, présentation et commentaires de Chr. Jacq, MdV Éditeur.

La Franc-Maçonnerie. Histoire et initiation, Robert Laffont.

Le Livre des Deux Chemins. Symbolique du Puy-en-Velay (épuisé).

Le Message initiatique des cathédrales, MdV Éditeur.

Saint-Bertrand-de-Comminges (épuisé).

Saint-Just-de-Valcabrère (épuisé).

Trois Voyages initiatiques, XO Éditions :

    * *La Confrérie des Sages du Nord.*

    ** *Le Message des constructeurs de cathédrales.*

    *** *Le Voyage initiatique, ou les Trente-Trois Degrés de la Sagesse.*

Albums illustrés

L'Égypte vue du ciel (photographies de P. Plisson), XO-La Martinière.
Karnak et Louxor, Pygmalion.
Le Mystère des hiéroglyphes. La clé de l'Égypte ancienne, Favre.
La Vallée des Rois. Images et mystères, Perrin.
Le Voyage aux pyramides (épuisé).
Le Voyage sur le Nil (épuisé).

Bandes dessinées

Les Mystères d'Osiris (scénario : Maryse, J.-F. Charles ; dessin : Benoît Roels), Glénat-XO :
   * *L'Arbre de vie (1).*
   ** *L'Arbre de vie (2).*
   *** *La Conspiration du mal (1).*
   **** *La Conspiration du mal (2).*

QUELQUES CRITIQUES

Higgins travaille comme nous le faisons, dans la réflexion. Il écoute, il observe, il relève ce qui est anachronique et incohérent. Ensuite il réfléchit, analyse et pose les bonnes questions. Depuis 33 ans au service de la gendarmerie et de l'IRCGN, c'est ainsi que je forme les enquêteurs et les techniciens qui travaillent avec moi.

Capitaine THOMAS,
IRCGN

*

Une tradition d'enquête policière où la résolution des crimes commis ne doit rien aux procédés technologiques modernes, mais tout à la sagacité d'un enquêteur, l'inspecteur Higgins, digne héritier des Poirot ou Holmes.

Nicolas BLONDEAU,
Le Progrès

*

Il n'est pas exagéré de dire que le lecteur, littéralement absorbé, mène les investigations au côté de l'inspecteur Higgins.

Noëlle DE SONIS,
La Manche libre.

*

Le livre est rythmé, l'enquête digne d'un roman d'Agatha Christie. La recette est classique mais la magie opère toujours. Le lecteur est captivé jusqu'aux dernières pages.

Franck BOITELLE,
Paris-Normandie

Christian Jacq mène avec une redoutable efficacité et une délicieuse sophistication un récit bien sombre et bien cadencé. Le lecteur est bousculé par les contre-indices qui jaillissent à chaque page. Il se laisse baigner par l'atmosphère enveloppante du récit. Ambiance crépusculaire et frissons garantis jusqu'à la dernière ligne.

Véronique EMMANUELLI,
Nice-Matin/Corse

Higgins n'écoute que son bon sens et balaie d'un revers toute précipitation. Poirot et Maigret, ses illustres confrères, usent de la même sagesse.

Vincent ROUSSOT,
L'Yonne républicaine

Fidèle à son habitude, Higgins va devoir user de son sens de l'observation, de sa maîtrise de la conversation et de sa perspicacité pour faire toute la lumière.

Lyliane MOSCA,
L'Est-Éclair

Des polars à l'anglaise qui respectent à merveille les canons du genre, à commencer par les personnages, très typés… Des romans plaisants et distrayants, qui plus est bien écrits, pour passer le temps en avion, dans le train, ou en cachette au bureau derrière son Mac.

Philippe LE CLAIRE,
L'Union-L'Ardennais

*

Le livre se déguste comme un bon Agatha Christie et on attend avec impatience de découvrir la suite des aventures de cet inspecteur de Scotland Yard qui tient autant d'Hercule Poirot que de l'inspecteur Columbo !

Florence DALMAS,
Le Dauphiné libéré

*